vlucht

Guurtje Leguijt

vlucht

Voor Michel,
voor het wijzen van de weg.

Postbus 5018, 8260 GA Kampen
www.kok.nl

Omslagillustratie en -ontwerp Roelof van der Schans
Layout omslag Hendriks grafische vormgeving & webdesign
Layout/dtp Gerard de Groot
ISBN 90 266 1384 9
ISBN-13 978 90 266 1384 5
NUR 284/285
Leeftijd 10+

HOOFDSTUK 1

Mijn vader is dood en mijn moeder wordt langzaam gek. Dat heeft vreselijk veel met elkaar te maken, mijn moeder wordt namelijk vooral gek door de manier waarop mijn vader is gestorven.
Hij viel van de trap, met zijn hoofd op de tegels in de gang.
Als ik aan mijn vader denk, zie ik gelukkig bijna nooit hoe hij daar lag, in een rare kronkel, als een knuffel die door de kamer is gesmeten. Het gekke is dat ik in gedachten juist zie hoe mijn vader een paar jaar geleden die tegelvloer legde. Hij gebruikte witte plastic kruisjes om ervoor te zorgen dat alle voegen even groot zouden worden. Die kruisjes stopte hij steeds tussen zijn lippen, zodat hij kleine, scheve tandjes had.
Mijn moeder wordt gek omdat zij de wasmand, waarover mijn vader viel, op de overloop had gezet. Zo zou ze de volgende ochtend niet vergeten de was in de machine te stoppen.
Mijn vader had 's avonds liters koffie gedronken en moest om een uur of twee plassen. Hij liet het licht uit.
Ik werd wakker van allerlei geluiden die ik nog nooit eerder had gehoord, zeker niet midden in de nacht. Toen ik mijn slaapkamerdeur opendeed, was het licht op de overloop inmiddels aan. Ik zag mijn moeder op de bovenste traptree zitten. Ze had haar handen voor haar mond en wiegde een beetje heen en weer. Ik keek waar zij naar keek, naar beneden. Daar lag die rare kronkel die mijn vaders pyjama aanhad. Overal eromheen lag wasgoed, onder andere mijn voetbalkleren.
Toen mijn moeder mij zag, ging ze naar beneden en haalde wat wasgoed weg, zodat ik ineens mijn vaders hoofd kon zien.
'Blijf boven,' zei mijn moeder en ze ging de kamer in. Ik hoorde haar praten.
Toen kwam ze terug naar de gang en ging weer zitten, nu op de

onderste tree. Heel snel daarna zag ik blauwe lichtflitsen door het glas van de voordeur.
Dat is nu bijna een halfjaar geleden.

Tijdens het ontbijt zegt mijn moeder dat we allemaal goed moeten luisteren. Iris kijkt mij aan, ze heeft haar ogen nog zwarter opgemaakt dan anders, en trekt een gek gezicht. Als mijn moeder zegt dat we goed moeten luisteren, komt er tegenwoordig altijd een veiligheidsregel. Een nieuwe regel bij die duizend regels die ze al heeft bedacht.
'Ik vind het eigenlijk niet meer verantwoord dat jullie op de fiets naar school gaan. Het is zo druk op de weg. Ik ga jullie brengen en halen.'
Bastiaan kijkt blij. Hij is acht en vindt het een toppunt van geluk als je naar school gebracht wordt. Iris is vijftien en inmiddels heel slim in het omgaan met mijn moeder. Ze wordt niet meer boos, zoals ze een paar maanden geleden nog deed. Als we boos worden, gaat mijn moeder namelijk huilen en daar stopt ze dan voorlopig niet meer mee. Ik word daar behoorlijk zenuwachtig van en Iris volgens mij ook. Dus denkt ze nu zogenaamd serieus met mijn moeder mee.
'Dat wordt lastig, mam. Als ik het eerste uur begin, moet ik net zo laat op school zijn als Bas. Dat gaat u niet redden.'
Mijn moeder schudt haar hoofd. 'Ik vraag wel ontheffing voor jou, dat je elke dag een kwartier later komen mag.'
Iris knikt, maar aan haar ogen kan ik zien dat ze razendsnel nadenkt.
'Dat zou wel kunnen, als ik niet aan het begin van de dag mijn talen heb. U weet dat ik daar niets van missen kan.'
'Dan breng ik eerst jou naar school, dan Niels en daarna Bastiaan.'
Nu moet ik mijn hersens laten kraken. Ik zie het al voor me. Elke dag het plein opkomen als de school al begonnen is. Mijn moeder staat erop dat we onze jassen tot bovenaan dichtritsen en dat

we reflecterende bandjes over onze mouwen dragen.
Joepie.
Iris is echt goed, ze kan net zo zorgelijk kijken als mijn moeder.
'Maar hoe moet dat dan met Bastiaan? Zijn juf vond toch dat hij te weinig contact met leeftijdgenoten heeft? Voor schooltijd op het plein spelen is dan belangrijk.'
Na schooltijd speelt Bastiaan nooit meer bij een vriendje. Dat komt omdat mijn moeder bang is dat in andere huizen de stopcontacten niet zijn beveiligd, de wc niet schoon genoeg is of dat de flessen met terpentine niet in een kast zitten met een cijferslot erop.
Mijn moeder aarzelt. Ik zie het aan de rode vlekken die op haar wangen komen. Ze wrijft haar handen langs elkaar alsof ze heel erg koud zijn. Ik probeer even serieus over te komen als Iris.
'Als ik beloof dat ik Bastiaan naar school breng? Dat red ik wel, zelfs als ik het eerste uur moet beginnen. Dan lever ik hem in zijn klas af.' Dat is ook niet echt waar ik op zit te wachten, m'n kleine broertje naar school brengen, maar het is minder erg dan aan de hand van mijn moeder het plein over lopen.
Mijn moeder masseert haar voorhoofd. 'Misschien moet dat dan maar, het komt voor mijn werk ook beter uit. Maar dan gaan we zaterdag wel fietshelmen voor jullie kopen.'
Iris kan zich bijna niet bedwingen. Ik zie haar ogen groot worden en haar mond opengaan.
'Gezellig, mam,' zeg ik. Een fietshelm is halverwege af te doen. Misschien kan ik hem verstoppen onder de brug bij de brandweerkazerne.
Mijn vader mis ik vaak genoeg. Maar mijn moeder mis ik elke keer als ik haar zie.

HOOFDSTUK 2

'Je moeder komt vanmiddag met mij praten.'
Mijn mentrix kan dat soort dingen zeggen op een manier die je laat geloven dat er niets leukers op de wereld is. Ik houd mijn vinger bij de zin waarmee ik bezig ben. Wat moet mijn moeder op school? Gaat ze mevrouw Koning vragen of ze wil opletten of ik wel met fietshelm arriveer? Of moet ze gaan controleren of ik na het plassen mijn handen was met de speciale schoonmaakdoekjes die mijn moeder altijd in mijn rugzak stopt? Af en toe haal ik er een stuk of vijf uit die ik direct doorspoel. Zo raakt het doosje misschien nog eens leeg.
'Gaat het allemaal goed thuis?'
Ik knik, ik hoop dat het er geloofwaardig uitziet. Toen mijn vader net was overleden, vroeg mevrouw Koning dat elke dag, na een tijdje één keer in de week en nu nog maar heel af en toe. Maar dat komt natuurlijk, doordat er inmiddels allerlei andere dingen zijn gebeurd. Thirza's zusje is heel erg ziek en de oma van Peter is op straat overvallen en zo hard geschopt dat ze nog steeds in coma ligt. En de ouders van Silver zijn gescheiden.
Terwijl mevrouw Koning het huiswerk voor de volgende week op het bord schrijft, probeer ik te bedenken waarom mijn moeder haar zo nodig moet spreken. Mijn rapport was redelijk en straf heb ik in maanden niet meer gehad.
Kamp?
Ik probeer op mijn moeders manier te denken over ons schoolkamp. Ze zou de busreis te gevaarlijk kunnen vinden. Bastiaan mag van haar niet met de zwembus mee, omdat er geen veiligheidsgordels in zitten. Mijn moeder vindt het vast en zeker ook niet goed dat we midden in het bos zitten. Als we te dicht langs de struiken in de tuin lopen, wil ze al controleren of we geen tekenbeet hebben.

Als ik opzijkijk, kan ik Thirza zien. Sinds haar zusje ziek is, praten we veel met elkaar. Altijd over gewone schooldingen, maar toch op een andere manier dan we daar met anderen over praten.
Thirza is de enige die het misschien zou kunnen begrijpen, over hoe het bij ons thuis is.
Op de een of andere manier heb ik het gevoel dat thuis steeds meer naar school komt.

Om half vier probeer ik zo snel mogelijk de klas uit te zijn, maar mijn moeder staat al in de gang te wachten. Ze heeft Bastiaan bij zich, die vol ontzag naar mijn school en mijn klasgenoten kijkt.
'Let jij even op Bas?'
Ik hoop dat ze snel klaar is. Misschien gaat het helemaal niet over kamp, maar over iets onschuldigs. Het zou best kunnen dat ze zich aan komt melden als bibliotheekhulp.
Na vijf minuten komt mijn moeder weer naar buiten, mevrouw Koning loopt met haar mee. Zie je wel, denk ik. Het valt mee. Nu naar huis, naar de kruidenthee en de geschilde appeltjes.
'Lopen jullie maar mee,' zegt mijn moeder, 'ik wil in de gymzaal kijken.'
Nu ik beter oplet, zie ik dat het gezicht van mevrouw Koning een beetje vreemd staat. Zo keek ze ook toen Silver in de klas ineens heel hard ging huilen en vervolgens zei dat er niets aan de hand was.
Mijn moeder praat gewoon, een gezellig kletsverhaaltje over het weer en dat de winterjassen bijna opgeruimd kunnen worden. We moeten het plein oversteken en mevrouw Koning maakt met een grote sleutelbos de deur van de gymzaal open. Even denk ik dat mijn moeder de douches wil zien. Ik heb weleens iets gehoord over bacteriën die in douches kunnen zitten, maar het kan nog veel erger.
Vrolijk stapt mijn moeder door de kleedkamers de gymzaal in. Ze praat nog steeds op gezellige toon, maar dat zegt niets, weet ik. Net zo gezellig en vrolijk vertelde ze ons laatst dat we alleen nog

maar aan elektrische apparaten mogen komen, als zij erbij staat. Ik mag nog net zelf het licht op mijn slaapkamer aan- en uitdoen, maar daar houdt het mee op.
Mevrouw Koning kijkt heel aandachtig naar mijn moeder, ze luistert met meer dan alleen haar oren.
'Dus u wilt de gymtoestellen zien? Zullen we beginnen met de touwen?'
Bastiaan vindt een verdwaalde tennisbal waaraan hij begint te pulken. Ik ga op een bank zitten.
Mijn moeder lijkt nog steeds vriendelijk en vrolijk, maar ik zie dat ze af en toe in haar handen wrijft.
Mevrouw Koning maakt het touw los en trekt eraan, zodat de klimtouwen als slingers hangen te bengelen. Mijn moeder pakt een touw en geeft er een flinke ruk aan. Intussen kijkt ze naar boven. Zou ze echt verwachten dat het breekt?
Mevrouw Koning is net zo vriendelijk als mijn moeder en laat haar alles zien wat ze wil, maar ik voel gewoon dat ze het gek vindt. Mijn moeder loopt als een veiligheidsinspecteur met ballen te stuiteren (moeten die basketballen zo hard zijn?) en aan gymtoestellen te sjorren. Het is eigenlijk net als thuis, maar toch anders, want het is niet thuis.
Ik krijg een raar gevoel in mijn buik, alsof er een beest zit dat langzaam omhoog probeert te kruipen. Als ik maar diep en rustig ademhaal, kan ik er de baas over blijven, denk ik.
'Wil jij je moeder laten zien hoe hoog je op het wandrek durft?'
Mevrouw Koning vraagt het aan Bas, maar ze kijkt naar mijn moeder. Mijn moeder kijkt naar het klimrek en naar Bastiaan, die roerloos met de tennisbal in zijn handen staat.
'Durf je niet?' vraagt mevrouw Koning heel lief.
Bastiaan kijkt naar mijn moeder (het is net een raar toneelstuk) en wordt een beetje rood. Van mama mogen we nergens op klimmen.
'Jij dan, Niels?'
Mijn moeders handen kruipen als twee spelende hondjes over

elkaar. Het beest in mijn buik begint ook weer te stuiteren. Mevrouw Koning kijkt nog steeds met haar nadenk-blik en daarom loop ik naar het wandrek. Als ik langs mijn moeder kom, steekt ze haar hand uit, maar ik loop gewoon door en pak de houten sporten. Het is gek, maar mijn handen zweten.
Als ik sneller naar boven klim dan het beest in mijn buik, heb ik gewonnen.
Ik kijk naar de bovenste sport, die om de een of andere reden van metaal is. Niet te veel nadenken, gewoon gaan.
Het metaal is lekker koud.
'Kom maar weer naar beneden,' zegt mijn moeder. Haar stem klinkt alsof ze heel hard heeft gerend. Ik klim aan de achterkant van het klimrek omlaag, snel en soepel, in de hoop dat mijn moeder misschien doorkrijgt dat klimmen helemaal niet gevaarlijk is. Halverwege haakt mijn linkervoet in de lange, wijde pijp van mijn skatebroek. Ik hang ineens aan mijn armen, mijn elleboog knalt tegen een sport. Ik zie hoe mijn moeder verstrakt, haar vingers gespreid. Het lukt me om mijn voet snel los te krijgen, maar niet snel genoeg om nonchalant naar beneden te kunnen springen. Rustig klim ik het laatste stukje omlaag. Straks verbiedt mijn moeder mij nog dit soort broeken te dragen. Iris mag haar lange haar al niet meer los dragen, omdat het dan ergens in verward kan raken. Waarin? Nou, volgens mijn moeder is het weleens gebeurd dat de wapperende haren van iemand verstrikt raakten in de spiegel van een voorbijrijdende auto. Mijn moeder heeft er al moeite mee dat ik deze broeken koop in een winkel waar ze ook kleding verkopen die reclame maakt voor drugs. Denk maar niet dat ik van haar alleen zo'n winkel in mag, zelfs niet met Iris.
Ik ga niet meer op de bank zitten, maar blijf tegen het wandrek geleund staan. Bastiaan pulkt weer aan de tennisbal.
Mijn moeder wijst naar de klok die boven de deur van de kleedkamer hangt. 'Moet daar geen gaas voor? Als er iemand een bal tegenaan gooit, kan het glas breken. Of is het veiligheidsglas?'
'Dat weet ik niet precies,' zegt mevrouw Koning. Ze kijkt naar

Bastiaan, die heel zachtjes met de bal stuitert.
Het is net of ik nu pas zie hoe gek dat eigenlijk is, een jongen van acht in een gymzaal en het enige wat hij doet is rustig met een bal spelen.
Mevrouw Koning haalt diep adem. 'Ik zal het navragen, bij de directeur. Komt u morgen nog even langs, dan kunnen we er met ons drieën over praten.'
'Nee, dat hoeft niet.'
'Zal ik dan bij u langskomen?'
'Thuis?'
Mevrouw Koning knikt.
'Jullie brengen op het voortgezet onderwijs toch geen huisbezoeken?'
'Niet vanzelfsprekend, nee. Maar in bijzondere gevallen...'
Mijn moeder zegt dat het niet nodig is. Ze roept ons en bedankt mevrouw Koning voor haar tijd.
Ik loop achter haar aan door de kleedkamer en vraag mij af wat je moet doen om een bijzonder geval te zijn.
Schuldig zijn aan iets heel ergs?

HOOFDSTUK 3

Als ik de volgende ochtend bijna bij school ben (de laatste dag van het fietshelmloze tijdperk), zie ik Thirza voor me rijden. Ik trap iets sneller door, zodat we tegelijk bij het hek komen.
'Hoi.'
'Hoi,' zegt ze en ze kijkt mij net iets langer aan dan normaal is. Ze rijdt ook niet het plein op, maar blijft gewoon staan. Soms moet je niet te veel nadenken, maar gewoon doen wat je hart je ingeeft.
'Hoe is het met je zusje?'
Ze haalt haar schouders op. 'Niet zo goed. Volgende week krijgen we uitslagen van de onderzoeken, maar de dokter zei tegen mijn moeder dat ze niet te veel hoop moet hebben.'
Ik weet dat het egoïstisch is, maar ik ben dolblij dat ze zelf over haar moeder begint.
'Wel erg, voor je moeder.'
Ze haalt weer haar schouders op, maar kijkt tegelijkertijd mij zo recht in de ogen dat ik het er warm van krijg. Prettig warm. 'En jóúw moeder dan? Ik zag haar gisteren op school, ze leek mij een beetje zenuwachtig.'
Er hikt iets in mijn keel. Ze gaat rechtstreeks af op wat ik pas met een omweg dacht te kunnen bereiken. Nu vooral rustig blijven.
'Ach, je weet zelf wel hoe dat gaat met moeders die in de stress zitten.'
Thirza poetst met de mouw van haar jas over haar stuur. 'Mijn moeder is vooral moe.'
Moe is mijn moeder meestal niet. Het lijkt eerder of ze van binnen een enorme motor heeft, die de hele dag op volle snelheid draait en haar bakken energie geeft. Ze rent achter elke situatie aan die misschien eventueel weleens onveilig zou kunnen zijn en ze regelt direct allerlei oplossingen.
'Is je moeder nooit bang,' vraag ik, 'dat jij ook ziek wordt?'

De bel gaat. Vanuit alle hoeken van het plein begint iedereen naar de deur te lopen, maar wij blijven gewoon staan. Thirza wijst met haar duim naar haar been. 'Drie weken geleden had ik een bult op mijn scheen, geschopt met voetballen. Mijn moeder vroeg wel vier keer op een dag of het al minder werd. Zelfs toen die bult eenmaal weg was, vroeg ze nog een week lang of het niet terugkwam.'
Misschien is mijn moeder toch niet zo gek als ik dacht. Wel gek, maar gewoon gek, zoals elke moeder wordt als er iets ergs gebeurt.
Op de eerste verdieping van de school doet iemand een raam open. Het aardrijkskundelokaal. Een paar jongensstemmen schreeuwen over het plein. Mijn dierbare klasgenoten.
'ZOENENZOENENZOENEN!'
Thirza blijft me aankijken en lacht. 'Nou ja, als zij dat dan zo graag willen...'
Ze geeft mij een zoen op mijn wang, zo snel dat haar gezicht weer een meter bij me vandaan is, als ik bedenk dat ik haar best terug had willen zoenen. Er gaan meer ramen open en er klinkt gejuich en geklap.
We zetten onze fietsen in de stalling en lopen naar de deur.
Ik wil helemaal niet naar binnen. Ik wil op mijn fiets stappen en wegrijden naar weet-ik-veel-waar. Ergens waar geen moeders zijn en geen fietshelmen en geen docenten die zeggen dat het niet de bedoeling is dat we de les buiten beginnen en dat we dus maar snel binnen moeten komen.
Damian schreeuwt door de klas. 'Wat ze tegen elkaar zeiden was vast niet voor onze oren bedoeld!'
Meneer Postmus schudt zijn hoofd en kijkt heel nadrukkelijk op de klok. Op de een of andere manier, net als altijd, wordt iedereen vanzelf stil.
Ik zit op een christelijke school en aan het begin van de dag wordt er gebeden. Regel van de school, je hoeft het er niet mee eens te zijn, maar je moet wel meedoen. Van de achtentwintig

leerlingen in mijn klas gaan er zes naar de kerk. Thirza is er één van en dat weet iedereen, want ze praat er regelmatig over. Dan zijn er nog vijf anderen en daarvan ben ik er één, maar dat weet bijna niemand.
Misschien komt het doordat Thirza het net over voetballen had. Meneer Postmus bidt over schulden vergeven en ik moet ineens denken aan mijn zwarte sportbroekje, dat ergens half onder mijn vader lag. Een rare pijn trekt dwars door mijn buik. Ik dacht dat ik het vergeten was, dat dat kon, maar het andere beest, niet die snelle, lijkt weer wakker.
Ik ken veel van mijn klasgenoten al jaren, maar het lijken nu allemaal vreemden. Behalve Thirza.

Net als ik in de pauze mijn moeder een sms'je heb gestuurd, kom ik mevrouw Koning tegen. 'Wil je even meelopen naar de klas?'
Ik zou natuurlijk kunnen weigeren, maar als een mak lammetje loop ik achter haar aan naar het lokaal waar we altijd Engels hebben. Ze pakt de stoel van Micha en komt vlak bij me zitten.
'Hoe gaat het tegenwoordig bij jou thuis?'
'Wel goed.'
Ze kijkt mij net zo aan als Thirza vanmorgen deed, maar nu geeft het me een heel ander gevoel. Zou ze door mijn ogen heen mijn gedachten kunnen lezen?
'Wat ik eigenlijk bedoel: is je moeder erg veranderd?'
Ik weet niet welk antwoord goed is. Als ik zeg dat ze niet is veranderd, zou dat nogal vreemd lijken. Waarschijnlijk verander je altijd als je man of vrouw overlijdt. Maar gewoon 'ja' zeggen voelt als verraad. Voor de veiligheid maak ik vage gebaren met mijn handen en wiebel ik wat met mijn hoofd.
'Een beetje,' begrijpt mevrouw Koning. 'Ik vroeg me af of ze wat overbezorgd is.'
Wat overbezorgd. Als ze daarmee bedoelt dat we werkelijk niets meer op de grond mogen laten liggen, nog geen tas, en dat 's nachts in alle kamers lampjes branden en op de overloop zelfs

een flink fel licht, dat we alle drie een mobiel hebben gekregen (op zich niet zo erg), zodat mijn moeder ons altijd en overal kan bellen, dat we nooit op onze sokken op de houten vloer mogen lopen en dat mijn moeder boven elk elektrisch apparaat een rookmelder heeft opgehangen, dan is mijn moeder wel wat overbezorgd, ja.

Ze legt haar hand op mijn arm. 'Als er iets is, moet je het me vertellen, Niels.'

Ik zou wel willen. Misschien dat zij weet wat ik tegen mijn moeder moet zeggen, als ze zenuwachtig op haar nagels bijt als Iris niet meteen haar sms'jes beantwoordt. En waarschijnlijk weet ze, of het normaal is dat je moeder controleert of je veters goed zijn gestrikt. Misschien kan ze ook zeggen, of het raar is dat ik mij soms zoveel zorgen maak om mijn moeder dat ik helemaal vergeet aan mijn vader te denken, terwijl ik dat wel zou willen.

Maar stel je voor dat ze zegt dat mijn moeder echt gek is, wat moet ik dan?

'Het valt wel mee.'

'Mis je je vader?'

HOOFDSTUK 4

Nu hoef ik geen toneel te spelen. Het langzame beest wint een keer en voor ik het weet huil ik.

Mevrouw Koning legt haar hand op mijn hoofd. 'Jongen toch, ik had er al veel eerder naar moeten vragen.'

Huilen bij iemand die je aandacht geeft is eigenlijk best prettig. De hand is warm en het lijkt of die warmte alle rotgedachten wegjaagt. Vaag ruik ik parfum, of hoe dat ook heet. Zo ongeveer rook mijn moeder, als ze met mijn vader uit eten ging. Misschien dat ze nu soms nog zo ruikt, maar dan merk ik het niet. Mijn moeder raakt mij bijna nooit meer aan. Ze rent óf als een gek door het huis (nou ja, natuurlijk rent ze niet, dat zou te gevaarlijk zijn) om te controleren of alles nog wel veilig is, óf ze is daar eindelijk zo moe van dat ze in bed ligt.

Mevrouw Koning heeft ergens een papieren zakdoekje vandaan gehaald dat ze aan me geeft.

'Je moet maar vaker komen praten, Niels. Minstens één keer in de week. Heeft je moeder eigenlijk hulp?'

Ik schrik een beetje van de overgang. 'Hulp?'

'Iemand met wie ze praat, over wat er is gebeurd.'

Het lijkt mij eigenlijk niet zo'n goed idee, dat iemand met mijn moeder gaat praten. Dat ze thuis gek doet is nog te overleven. Iris en ik kunnen het net onder controle houden. Maar buitenshuis valt het altijd meer op. Hoe mijn moeder op haar werk is weet ik eigenlijk niet, afgezien van het feit dat ze ons regelmatig belt of sms't en dat ze minder is gaan werken, zodat ze er altijd is als wij vrij zijn. Dat heeft ze kunnen regelen vanwege de bijzondere omstandigheden.

'Ze praat met iemand op haar werk,' zeg ik, en ik ben blij dat ik niet hoef te liegen. 'Iemand die ook heeft geregeld dat ze voorlopig minder kan werken.'

Mevrouw Koning knikt en tegelijk gaat de bel die het eind van de pauze aangeeft. Als iedereen de klas binnenkomt, zit ik in mijn agenda te lezen.

Na de les komt Thirza naar mij toe. 'Moest je binnenblijven omdat we vanmorgen te laat waren?'
Ik krijg het weer een beetje warm, als ik eraan denk waarom we laat waren.
'Ze wilde gewoon weten hoe het thuis is.'
'O ja, dat vraagt ze ook vaak aan mij.'
'Het zal wel bij haar werk horen.'
Ze knikt. 'Maar volgens mij meent ze het echt, ze onthoudt altijd wat ik gezegd heb.'
Haar ogen zijn lichtgrijs, ik vraag me af of ik die kleur met een gewoon potlood na zou kunnen maken.
'Nou, tot straks,' zegt ze en loopt weg.

's Middags gaan we bij Nederlands de rollen verdelen voor het toneelstuk dat we aan het eind van het jaar voor onze ouders opvoeren. Er wordt altijd 'jullie ouders' gezegd. Iedereen doet druk en opgewonden, je zou bijna denken dat het echt belangrijk is of je palmboom mag spelen of visser. Thirza en ik worden allebei ingedeeld bij de figuranten. Kan nooit erg moeilijk zijn.
Ik vraag mij af waarom Thirza zo'n onbelangrijke rol krijgt. Misschien omdat het zomaar zou kunnen dat haar zusje net doodgaat als we het toneelstuk moeten opvoeren.

Op zaterdag met mijn moeder de stad in is niet iets om naar uit te kijken.
Het begint thuis al. Ze controleert of we onze mobieltjes bij ons hebben, of de batterijen nog vol genoeg zijn en of haar nummer nog steeds in het geheugen staat.
Als we in de parkeergarage uit de auto stappen, geeft ze instructies.

'Bastiaan geeft mij een hand en Iris en Niels blijven ook naast elkaar. We lopen naar de sportzaak en voor we daar weggaan, verzamelen we eerst weer. Dus niet de winkel uitgaan, wat er ook gebeurt.'
'En als er brand uitbreekt?' Iris kan echt heel serieus overkomen. Mijn moeder begint weer in haar handen te wrijven. 'Brand? Hoe bedoel je?'
'Dat zou toch kunnen? In de winkels is alles van kunststof, voor je het weet staat de hele boel in de hens.'
Ik kijk naar Iris en probeer te begrijpen waarom ze mijn moeder op dit soort ideeën brengt.

HOOFDSTUK 5

Iris wijst om zich heen, naar de overvolle parkeergarage. 'Het is hartstikke druk in de stad. Als er iets gebeurt, breekt er direct paniek uit.' Ze kijkt mij aan, met haar help-ook-eens-even-mee-blik.

'Misschien kunnen we beter een andere keer gaan,' gok ik, en tegelijk begrijp ik de bedoeling van Iris. Tijd winnen. Elke dag dat we die stomme fietshelmen niet in huis hebben is goed. Misschien vergeet mijn moeder het dan, of valt er iets beters te bedenken. We zouden kunnen proberen haar wijs te maken dat fietshelmen slecht zijn voor de hersenen, of dat er schadelijke stoffen inzitten.

Iris vult mij pijlsnel aan. 'Op een doordeweekse dag is het veel rustiger. Vrijdag ben ik vroeg uit.'

Ik knik zo hard dat mijn nek ervan kraakt. 'Vrijdag is het niet zo druk als nu.'

Bastiaan trekt aan mijn moeders jas. 'Gaan we nu nog, ik wil zo'n helm, een zwarte. Die heeft Jasper ook, voor het skaten.'

Mijn moeder aarzelt, ik kan het zien. Ik doe een extra poging. 'Of we gaan in de voorjaarsvakantie, over twee weken, dan is het nóg rustiger.'

Het handenwrijven van mijn moeder stopt. Ze pakt Bastiaan bij de arm. 'We gaan nú. Een beetje drukte is minder erg dan dat jullie nog veertien dagen onbeschermd naar school fietsen. Iris en Niels, lopen jullie voor ons uit?'

Vanuit mijn ooghoeken zie ik dat Iris gekke gezichten trekt. Ik zou dat ook wel willen, maar mijn gezicht voelt strak en stijf.

Het is niet ver naar de sportwinkel. Zodra we binnen zijn zegt mijn moeder: 'Jullie weten nog wat de afspraak is?'

'Nooit de winkel uitgaan,' zegt Bastiaan.

Iris mompelt zacht voor zich uit. 'Tenzij er brand uitbreekt of er

een terroristische aanslag plaatsvindt of er een troep leeuwen rondrent of alle verkopers pedofiel zijn.'
Mijn moeder hoort niets, ze gaat de trap op naar boven, waarbij ze goed oplet of Bastiaan de leuning vasthoudt.
Iris geeft mij een schouderduwtje. 'Zullen we springen, allebei tegelijk? Kun je lachen, weet ze niet wie van ons tweeën ze redden moet.'
Ik begrijp wel dat Iris zo doet. Maar soms vind ik het net zo lastig als die bezorgdheid van mijn moeder.
Als we boven zijn, ziet Bastiaan direct de fietshelmen liggen. Hij trekt mijn moeder mee. 'Die daar, mam. Zo één heeft Jasper ook.'
Mijn moeder pakt allerlei helmen van de plank, vergelijkt ze en tikt er met haar knokkels op. Iris loopt naar de andere kant van de stellage.
'Kijk,' zegt ze tegen mij. 'Deze zijn voor volwassenen. Ik ga echt niet met zo'n Disney-ding de winkel uit.'
Er komt een verkoper naar ons toe. 'Kan ik jullie helpen?'
Mijn moeder staat verderop, bij een spiegel. Bastiaan staat voor haar, met een knalblauwe helm op zijn kop.
'Dat hoop ik wel,' zegt Iris, terwijl ze me een knipoog geeft. 'We hebben nieuwe fietshelmen nodig. Ardennenbestendig.'
De verkoper lacht naar haar. 'Voor het echte werk dus. Gaan jullie samen?'
Iris en ik knikken tegelijk. De verkoper draait een rondje met zijn hand. 'Met...?'
Ik probeer een slim antwoord te bedenken, maar Iris pakt een helm van het rek en zegt achteloos: 'Met mijn vader.'

'Leuk,' zegt de verkoper. 'En hij heeft geen helm nodig?'
'Heeft hij al,' zegt Iris. 'Is dit een goede maat?'
Het is net of zij en de verkoper worden weggezogen, ze worden kleiner en kleiner en lijken heel ver weg. Ik kan Iris alleen nog maar herkennen aan de zwarte kleding die ze draagt. Mijn oren suizen en het snelle beest in mijn maag weet te ontsnappen. De

verkoper kijkt geschrokken en Iris krijgt een knalrode kop. Mijn moeder staat ineens bij me, haar handen op mijn wangen. 'Niels! Wat is er?'
Bastiaan wijst naar de vloer, zijn stem klinkt vol ontzag. 'Hij heeft gekotst.'

HOOFDSTUK 6

Ik kan mij niet herinneren dat ik mij ooit in mijn leven zo ontzettend heb geschaamd. Er komt nog een verkoper aan, met een emmer sop. Ze verzekeren mijn moeder dat ze echt niet hoeft te helpen, dat ze beter met mij naar buiten kan gaan, de frisse lucht in.

'Toch aardig,' zegt Bastiaan als we buiten zijn, 'dat zij het gingen schoonmaken.'

Iris tikt tegen haar voorhoofd. 'Ze waren gewoon bang dat Niels nog een keer zou kotsen, stommerd.'

Mijn moeder ondersteunt me, of ik minstens twee benen in het gips heb. 'Hoe kwam dat nou, jochie?'

Ik schud mijn hoofd en gelukkig vraagt ze niet verder.

'Ik breng je naar huis en vraag of de buurvrouw op je wil passen, dan ga ik met Iris en Bastiaan terug.'

Zei Iris nu maar dat het belachelijk is dat ze de buurvrouw gaat vragen, dat ik al twaalf ben en dat het nergens op slaat dat ik een oppas nodig zou hebben als ik gewoon één keer overgeef. Maar Iris zegt niets.

Mijn moeder rijdt nog voorzichtiger dan anders naar huis. Ze wil dat ik in bed ga liggen en dat Iris bij mij blijft, terwijl zij naar de buurvrouw gaat. Iris hangt verveeld op mijn bureaustoel. Mijn keel voelt rauw en mijn stem klinkt zwaar verkouden.

'Waarom zei je dat?'

'Wat?'

Ik wil niet herhalen wat ze tegen de verkoper zei, ik wil er helemaal niets meer over horen, maar wat ik eigenlijk weten wil is of zij soms ook beesten in haar buik heeft, en of het helpt om ze met leugens naar beneden te sturen. Maar Iris blijft zwijgen tot mijn moeder terugkomt. Ze wrijft weer in haar handen. 'De buren zijn er niet.'

'Ik pas wel op,' zegt Iris.
Mijn moeder bijt op haar lippen 'Nee, dat kan niet, ik wil dat jullie die helmen passen voor ik ze koop, ze moeten goed zitten.'
Iris haalt haar schouders op. 'Nou, Niels alleen thuislaten kan ook niet.'
Ik vis mijn mobiel uit mijn broekzak en leg hem op mijn kussen. 'Gaan jullie maar, als er iets is, bel ik wel.'
Mijn moeder lijkt het zowaar goed te vinden, maar Iris zit vastgeplakt aan mijn stoel. 'Als Niels thuisblijft, kan hij toch ook die helm niet passen?'
Beneden staat Bastiaan te roepen, of ze nu nog gaan, en mijn moeder steekt haar hand uit naar Iris. 'Kom maar mee, jij hebt ongeveer dezelfde hoofdmaat als Niels en als dat niet zo is, kunnen we dat ding nog wel ruilen. Bel je echt als er iets is?'
Ik knik en probeer niet al te blij te kijken. Ik hoop dat ze niet dat glow-in-the-dark-ding voor me meenemen.

Maandagochtend vertrek ik braaf met mijn helm op mijn hoofd, een donkerrood geval dat eigenlijk niet eens zo heel erg vervelend zit. Zodra ik de hoek om ben stap ik van mijn fiets en gesp ik de helm los. Hij past precies in de plastic tas die ik speciaal daarvoor in mijn broekzak had gestopt. Geweldig, die grote zakken in een skatebroek. Er past zelfs een literpak ijs in. Bastiaan kijkt mij aan met ogen die drie keer zo groot lijken. 'Waarom doe je dat?'
'Hij past niet helemaal goed. Zeg het maar niet tegen mama, dan wordt ze ongerust.'
Hij legt zijn handen op zijn helm en probeert hem heen en weer te schuiven. 'Past die van mij wel goed?'
Voor de show leg ik mijn hand tussen die van hem. 'Zo stevig als een huis.'
Hij is opgelucht, maar meteen alweer bezorgd. 'Maar dan moet jij vanmiddag wel een nieuwe helm halen.'
'Of zaterdag.'

Hij heeft precies zo'n rimpel tussen zijn ogen als mijn moeder.
'Maar dat is toch gevaarlijk, een hele week zonder helm?'
Ik wijs naar de kinderen die voor het verkeerslicht staan te wachten. 'Hoeveel dragen er een helm?'
Serieus bekijkt hij zijn schoolgenoten. 'Niet één.'
Zijn ogen zijn nog steeds groot. 'Dat is toch hartstikke gevaarlijk, Niels? Niemand draagt een helm en je kunt zomaar een ongeluk krijgen.'
Zou Thirza al voorbij zijn gekomen? Als ik hier blijf staan, rijdt ze misschien wel langs.
'Je krijgt niet zomaar een ongeluk, Bas.'
'Mama zegt van wel.'

HOOFDSTUK 7

Vanuit mijn ooghoeken houd ik in de gaten of ik Thirza zie. Ze heeft een knalgroen jack, maar volgens mij ook een spijkerjasje.

'Misschien heeft mama niet altijd gelijk.'

Nu worden de ogen van Bastiaan iets kleiner. Ik kan gewoon zien dat hij in de war is en eerlijk gezegd denk ik dat het verstandiger is als ik mijn mond houd.

'Moeten andere kinderen uit jouw klas ook een fietshelm op?'

Hij schudt zijn hoofd.

'Hebben andere kinderen ook schoonmaakdoekjes mee voor de wc?'

'Weet ik niet.'

'Ik weet het wel. Niemand heeft van die belachelijke dingen in zijn rugzak. Ken jij kinderen die in het speelkwartier moeten sms'en dat alles in orde is?'

Eerst denkt hij na, dan schudt hij weer zijn hoofd.

'Zijn er kinderen in jouw klas die met de auto naar het zwembad worden gebracht, omdat er in de zwembus geen veiligheidsgordels zitten? Ken jij iemand die zelfs zijn handen moet wassen voor hij een snoepje uit de trommel pakt? Denk je echt dat het normaal is dat je twee brandmelders op je slaapkamer hebt?'

O nee, hij gaat janken. Ik zie de tranen uit zijn ogen komen en nu weet ik niet meer wat ik doen moet.

Van opzij hoor ik een knarsend gepiep. Thirza is met een flinke vaart de stoep opgereden en knijpt op het laatste moment haar handremmen in, zodat ze op minder dan een centimeter afstand van mijn been stopt.

'Gevallen?'

Eerst snap ik haar niet, tot ik de natte wangen van Bastiaan zie en op de een of andere manier doet die fietshelm mij ook meteen

denken aan ongelukken. Bastiaan schudt zijn hoofd.
'Gepest?'
Ook vanwege die helm, natuurlijk. Het plastic tasje dat ik in mijn hand heb lijkt ineens loodzwaar.
'Er is helemaal niets!' snauwt Bastiaan. Hij springt op zijn fiets en scheurt de straat op. Goed dat mijn moeder niet ziet dat twee andere kinderen keihard moeten remmen om te voorkomen dat ze boven op hem knallen. Thirza kijkt hem na tot hij de bocht omgaat.
We zijn allebei stil en halen dan tegelijk adem om iets te gaan zeggen, maar achter ons hoor ik Damian. 'Kijk, daar staan ze weer!'
Zonder dat we het af hoeven te spreken stappen we op onze fietsen en rijden een zijweg in. 'We moeten opschieten,' zeg ik. 'Ik moet Bastiaan naar school brengen.'
'Ik ga mee,' zegt Thirza. 'Leuk, onze oude school weer even zien.'
Bastiaans fiets staat al tegen het hek. Ik speur het overvolle plein af. Deden wij dat vorig jaar ook? Overlopertje en meidenpakkertje en schreeuwen en gillen?
Bastiaan staat in een hoekje met zijn hoofd gebogen. Zijn helm heeft hij nog op.
Ik wou dat ik wist wat ik Thirza moet vragen om de juiste antwoorden te krijgen. Mijn hand die het plastic tasje met de helm vasthoudt zweet ontzettend.
Thirza wijst naar Bastiaan. Een paar van zijn klasgenoten staan om hem heen te lachen. Als je oppervlakkig kijkt, zou je denken dat het gewoon een gezellig groepje is, maar er is er één die niet lacht en dat is mijn broertje. Thirza en ik beginnen tegelijk te rennen. Ik ben het snelst en ik zwaai met de plastic tas naar de eerste de beste grijns die ik zie. Ik raak iemand tegen zijn hoofd, een knulletje met een zwart jack. Hij stopt direct met lachen en rent jankend naar de pleinwacht. De andere pesters zijn ineens verdwenen.
'Wat was dat nou?' vraagt Thirza, maar voor ik kan bedenken of

ze dat aan Bastiaan vraagt of aan mij pakt een juf die ik niet ken mij bij mijn arm en zegt dat ik met haar mee moet lopen. Ze duwt mij de school in en ik weet waar ik heen ga, naar de koffiekamer. Daar sta ik dan tussen die juffen en meesters met een plastic tasje met een keiharde fietshelm.

HOOFDSTUK 8

Gek genoeg begroeten de meesten mij enthousiast, ze schijnen het leuk te vinden een oud-leerling te zien. Ook Thirza, die ons achterna is gelopen, wordt vriendelijk ontvangen. Dat duurt een paar seconden, tot de juf die mij vasthoudt vertelt waarom ze mij naar boven heeft gebracht. Iedereen bemoeit zich ineens met ons tot gelukkig de bel gaat en ik achterblijf met Thirza en mevrouw Hak, de directrice. Het eerste wat zij doet is Thirza wegsturen (ga jij maar naar school, jij hebt hier niets mee te maken) en dan gaat ze naar de klas van Bastiaan om te informeren wat er precies is gebeurd. Ik moet zolang in haar kamer wachten en draai langzaam rondjes op de bureaustoel, waar ik op ben gaan zitten omdat alle andere stoelen bezet zijn door stapels papieren. Op het bureau ligt de plastic tas met mijn helm.

Een jaar geleden was ik nog leerling op deze school. Toen dacht ik dat een onvoldoende voor een leestoets het ergste was wat je overkomen kon.

Ik zal waarschijnlijk sorry moeten zeggen tegen het pestjongetje. Uitlachen mag niet, maar iemand tegen zijn hoofd slaan is helemaal verboden. Ze zouden hier op school eens moeten weten waar ik nog meer schuldig aan ben.

Ik heb in gedachten al helemaal bedacht hoe ik me ga verdedigen. Eerst ga ik natuurlijk zeggen dat het heel dom van me was en dat het me heel erg spijt maar ik wil ook graag kwijt dat die kinderen begonnen, vijf tegen één. Maar als de directrice terugkomt, begint ze helemaal niet over de vechtpartij. Ze staat mij een hele tijd aan te kijken. Uiteindelijk wijst ze naar de plastic tas.

'Wat zit daarin?'

'M'n skatehelm.'

Ze kijkt naar mijn voeten. 'Waar zijn je skates dan?'

Geen idee wat ik nu moet zeggen.

'Volgens Bastiaan moeten jullie van je moeder naar school een fietshelm dragen.'
Bastiaan zou eens moeten leren wat hij wel en niet kan vertellen.
'Ik maak mij zorgen over jullie thuissituatie, Niels.'
Je zou er bijna om lachen. Iemand die zich zorgen maakt omdat mijn moeder zich zoveel zorgen maakt. Of misschien moet ik daar niet om lachen, maar me ook weer zorgen gaan maken.
'Ik denk dat jullie hulp nodig hebben.'
Blijkbaar kan er in een paar dagen tijd veel veranderen. Eerst vraagt mijn mentrix zich nog af of mijn moeder hulp krijgt, nu heeft mevrouw Hak het al over 'jullie'.
Ik denk dat Iris en ik het wel onder controle kunnen houden. Misschien moet ik het daar eens met haar over hebben, een plan uitstippelen, afspraken maken. Als zij zich wat meer aanpast, maakt mijn moeder zich misschien minder zorgen.
Mevrouw Hak gaat zachter praten. 'Misschien dat jij en je zus het nog wel redden, maar volgens mij wordt Bastiaan een heel bang en bezorgd jongetje.'
Dat ene beest, die snelle, zit weer in mijn keel. Het lijkt wel alsof mevrouw Hak het ziet, ze legt haar hand op mijn arm. 'Snap je wat ik bedoel, Niels? Het is heel lief van je dat je je moeder wilt beschermen. Maar misschien moeten jullie ook beschermd worden.'
Gek dat ik nu weer aan die stomme fietshelm moet denken. Ik haal hem uit de tas en leg hem op tafel. En dan is het ineens gemakkelijk om alles te vertellen.
Als ik halverwege de lijst van veiligheidsmaatregelen van mijn moeder ben, legt mevrouw Hak weer even haar hand op mijn arm. 'Niels, wat jij nu vertelt is zo belangrijk dat ik heel graag wil dat een paar andere mensen het ook horen. De juf van Bastiaan, bijvoorbeeld, en meneer Visser. Hij is hier op school degene die kinderen helpt als ze problemen hebben. Zou je alles nog eens willen vertellen, aan ons drieën?'
Ik heb het gevoel dat ik niet anders kan dan 'ja' knikken, dus dat

doe ik dan maar. Ze loopt het lokaal uit om de hulptroepen te halen, en ik vraag me af of ik een kind ben dat-problemen-heeft. Zo voelt het niet, het lijkt er meer op dat de problemen *míj* hebben.

Ze hebben alle drie ademloos naar me geluisterd. Ze knikten begrijpend en keken elkaar aan en vertelden me om de vijf minuten dat het heel erg goed van me was om alles te vertellen.
Het lucht wel op, eerlijk gezegd. De beesten in mijn buik verroeren zich niet. Mijn hoofd is een beetje licht, alsof je vanuit een drukke, rokerige ruimte naar buiten stapt. Drie volwassenen bij elkaar moeten een oplossing kunnen bedenken, beter dan het Iris en mij lukt.
Ik snap zelf niet waarom, maar toch voel ik me een verrader.

HOOFDSTUK 9

Iris kijkt me aan alsof ik minstens zo gek ben als onze moeder. 'Wát heb je gedaan?'
Ze geeft een klap op haar cd-speler, die direct stil is. Misschien hoopt ze dat ze me verkeerd heeft verstaan, of misschien hééft ze me verkeerd verstaan en is ze alleen maar blij als ze hoort hoe het echt zit.
'Ik heb het verteld, op de basisschool. Van mama.'
Uit haar reactie kan ik merken dat ze het de eerste keer al goed had verstaan en dat ze er niet blij mee is. Ze slaat tegen haar voorhoofd, rolt met haar ogen en laat zich achterover op haar bed vallen. De armbanden om haar pols rammelen. 'Waar zit je verstand?'
Het heeft waarschijnlijk weinig nut te vertellen dat ik vandaag van drie volwassenen heb gehoord dat ik de juiste beslissing heb genomen. Iris ziet er niet bepaald gelukkig uit. Ze heeft haar ogen dichtgedaan en haar vingertoppen tegen haar slapen gedrukt.
'Niels, je bent niet wijs. Wat denk je daarmee te bereiken?'
'Dat we geholpen worden.'
Ze kreunt. 'Geholpen? Door wie dan wel? Door achterlijke schoolmensen? Wat kunnen zij eraan veranderen? Beloven dat ze het niet zullen verklikken als jij zonder fietshelm op school komt, of je extra gevaarlijke dingen laten doen met gym?'
Ze maakt me bang, maar ook een beetje kwaad. Denkt ze soms dat haar oplossingen zo fantastisch zijn? Liegen in een sportzaak, ja, dat helpt! Tegelijk voel ik me stoer, want ik kan haar laten weten dat er écht iets gaat gebeuren.
'De juf van Bastiaan komt vanavond praten.'
Iris lacht. 'Je weet toch hoe het gaat als mensen een afspraak proberen te maken? Of ze nu van school zijn of van de kerk of uit de straat. Dan zegt mama gewoon dat het op dit moment niet uitkomt. En het is altijd "dit moment".'

Ik voel me steeds sterker. De juf en ik hebben daar namelijk al rekening mee gehouden.
'Ze maakt geen afspraak. Ze komt om een uur of acht, als Bastiaan net naar bed is. Dan is mama thuis. Ze is trouwens 's avonds altijd thuis.'
Iris kikkert er niet echt van op. Ze kijkt me aan en haar ogen staan raar.
'Niels, er zijn twee mogelijkheden...'
Heel veel van Iris' reacties beginnen op deze manier. En altijd is het zo, dat de twee mogelijkheden die ze mij dan vertelt allebei niet leuk zijn. Ze trekt ook al haar ik-weet-het-beter-gezicht.
'Waarschijnlijk gaat die moeder van ons heel vriendelijk met de juf in gesprek en zegt ze dat alles wat jij vertelt niet waar is. Uiteindelijk komen ze dan tot de conclusie dat jíj degene bent die gestoord is. Sorry hoor!'
Ze glimlacht.
'De andere mogelijkheid is dat die juf om de een of andere duistere reden toch jou, een kind van twaalf, gelooft. Dan concludeert ze dat mama gestoord is. Dat klopt natuurlijk wel, maar als de juf dat doorheeft en zich ermee gaat bemoeien, moet mama naar een inrichting en wij naar een weeshuis.'
Ze glimlacht nog steeds. 'Stel dat jij mag kiezen, wat is dan het beste?'
Het stomme is dat ik serieus over haar vraag na ga zitten denken. Een weeshuis lijkt me niet bepaald prettig, maar zelf voor gek doorgaan ook niet. En als ze denken dat ik gek ben, moet ík misschien wel naar een inrichting. Wie zorgt er dan voor Bastiaan?
Iris heeft haar ogen dichtgedaan. Ik zie nu pas hoe erg haar paarse vingernagels afgekloven zijn, haar duim bloedt zelfs een beetje.
Ik schrik me rot als ze ineens begint te praten.
'We zitten gewoon in de val, Niels, tot we oud genoeg zijn om het huis uit te gaan. Je weet wat er gebeurt als we die stomme regels aan onze laars lappen. Dan gaat ze janken en dan gaat Bastiaan

meedoen. Dat wil jij helemaal niet meemaken.'
Nu klinkt ze echt moe. Ik kijk naar haar buik die langzaam op en neer gaat. Als ze weer praat, is het bijna niet te horen. 'We zullen ermee moeten leren leven, of we het leuk vinden of niet. En ga nu maar weg.'
Ik ga naar mijn kamer en twijfel of ik de juf van Bastiaan zou kunnen bellen. Nee, want ik weet haar nummer niet. Ik kan haar ook niet tegemoet lopen, want ik mag 's avonds niet in mijn eentje naar buiten. Mailen kan ook niet, want ik mag zelf de computer niet aanzetten. Als ik vraag of ik computeren mag, krijg ik nee te horen, want ik heb vandaag al gecomputerd en van te veel computeren krijg je RSI.
Ik kan mijn raam opendoen en tegen de juf gaan praten. Helaas hebben we allemaal een slot op ons raam waarvan we zelf de sleutel niet hebben.
Het enige wat ik kan bedenken is een boodschap op het raam schrijven, maar dan kan iedereen die langskomt het lezen.
Met mijn wang tegen het glas zie ik de juf aan komen fietsen.

HOOFDSTUK 10

Als de juf omhoogkijkt doe ik iets, besluit ik. Dan schud ik mijn hoofd of ik gebaar dat ze weg moet gaan. Maar ze kijkt niet omhoog maar naar binnen, in de kamer.

Ze hoeft niet te bellen, ik hoor hoe de houten vloer kraakt als mijn moeder door de kamer naar de gang loopt. Precies op het moment dat zij de voordeur openmaakt, doe ik mijn slaapkamerdeur open. Op de drempel blijf ik staan luisteren.

Mijn moeder praat vrolijk. 'Maria, jij bent wel de laatste die ik verwacht. Heeft Basje iets belangrijks op school laten liggen?'

'Nee hoor, maar ik was toevallig in de buurt. Ik ben benieuwd hoe jij vindt dat het momenteel met Bastiaan gaat.'

'Het komt op dit moment niet zo goed uit.'

'Het hoeft niet lang te duren.'

Ik hoop dat mijn moeder nu doet wat ze altijd doet als er mensen komen vragen hoe het is; ze in de gang te woord staan. Maar dit keer laat ze het bezoek juist binnen. Ik sta roerloos in mijn deuropening te bedenken wat ik nu moet doen. Iris komt van haar zolderkamer naar beneden en vanaf de trap kijkt ze me vragend aan. Ik wijs recht naar beneden. Iris haalt haar schouders op.

Ze rent de trap af, gooit met een hoop lawaai de kamerdeur open. 'Mam, weet u waar mijn mobiel is?'

Ik hoor de zenuwen in mijn moeders stem. 'Ben je je mobiel kwijt? Ik wil dat je hem nu meteen gaat zoeken.'

Ik denk dat het vanwege de juf is dat ze niet zegt wat ze anders wel zegt, dat we niet de deur uit mogen als we onze mobiel niet bij ons hebben.

'Ik zoek al,' zegt Iris en ik hoor haar rommelen in de kast. 'Misschien boven. Ik ga even kijken.'

Ze komt de trap op en maakt een handgebaar. Ik moet zeggen, ze is slim geweest. De kamerdeur staat nog open.

Mijn moeder weet niet dat ik boven aan de trap sta. Ze let waarschijnlijk alleen op of Iris naar haar kamer gaat. En natuurlijk is die zus van mij zo slim dat ze met lompe stappen de zoldertrap op stampt.
Ik sluip voorzichtig een paar treden naar beneden, tot ik in de bocht van de trap zit. Als ik mijn hoofd om de hoek zou steken, zou ik de openstaande kamerdeur kunnen zien, maar dat is niet zo belangrijk. Waar het om gaat is dat ik, als ik mij inspan, kan horen wat mijn moeder en de juf met elkaar bespreken.
'Hoe gaat het eigenlijk?' vraagt de juf van Bastiaan en haar stem klinkt echt bezorgd. 'Ik had al eens eerder langs willen komen. Jullie hebben een moeilijke tijd achter de rug.'
'We redden ons,' zegt mijn moeder en ik zie gewoon voor me hoe ze erbij kijkt. Heel rustig en verstandig.
'Het lijkt me moeilijk om de kinderen op te vangen. Je hebt zelf ook je verdriet.'
'We redden het wel,' zegt mijn moeder nog een keer. 'Hoe is het op school? Druk met het project?'
'Ja, maar daar wilde ik het niet over hebben. We vroegen ons af...'
Nu klinkt mijn moeder niet meer rustig en verstandig, maar scherp. 'We? Wie zijn "we"?'
'Meneer Visser en ik.'
'Meneer Visser? Wat heeft die ermee te maken?'
Op de basisschool zeiden ze altijd dat geen enkele vraag een domme vraag is en dat elke vraag een antwoord verdient, maar deze vraag negeert de juf volkomen. 'We vroegen ons af of de kinderen geen extra begeleiding nodig hebben.'
'Hun cijfers zijn goed.'
'Ik bedoel niet voor hun schoolwerk, maar wat gesprekjes over zichzelf, over hun emoties.'
'Met hun emoties is niets mis.' De stem van mijn moeder wordt scherper. Zou de juf dat niet horen?
'Wij denken dat het toch goed voor ze zou zijn als ze hulp krijgen.'

'Wat voor hulp?' (Nu wrijft ze vast en zeker in haar handen.)
'We hopen dat u ze aan wilt melden bij Jeugdzorg. Daar zijn mensen die gespecialiseerd zijn in rouwverwerking.'
Er trekt een schok door mijn lijf. Ik moet me vasthouden aan de leuning. (We hebben er twee, één op normale hoogte en één lagere, voor Bastiaan.) Ik heb het woord 'rouwverwerking' nog nooit eerder gehoord, maar ik vind het nu al een rotwoord. Het klinkt als 'vuilverbranding' en bovendien wil ik om de een of andere reden dit woord niet horen in verband met mijzelf.
Toch blijf ik luisteren.

HOOFDSTUK 11

'Ik kan zelf mijn kinderen helpen met hun rouwverwerking.'
'Je hebt het zelf al moeilijk genoeg.'
Ik denk dat mijn moeder nu opstaat. Ik hoor de bank namelijk kraken en haar stem klinkt ineens iets anders. 'Ik bepaal zelf wel hoe ik me voel. Ik wil dat je weggaat.'
'Toe, Sonja, wees toch verstandig. Het is in het belang van je kinderen.'
'Vertel mij niet wat in het belang van mijn kinderen is. Dat maak ik zelf wel uit. En ga nu maar weg.'
Snel en geruisloos verlaat ik mijn afluisterpost. Op de overloop kan ik alles net zo goed horen, want mijn moeder en de juf staan nu in de gang.
'Sonja, ga daar dan zelf eens praten. Echt, die mensen daar zijn heel goed.'
'Net van die bemoeials als jullie zeker. Rot op.'
Weer krijg ik een schok. Mijn moeder zegt zoiets nooit. Dacht ik. Maar mijn moeder heeft ook nog nooit zo hard de deur dichtgegooid en die rare gierende ademhaling heb ik ook nog nooit eerder gehoord. Boven mij hoor ik gekraak.
Het voelt heel gek. Iris op zolder, ik op deze verdieping en mijn moeder beneden in de gang. Als je ons huis dwars doormidden snijdt, zou je kunnen zien dat we als een menselijke stapel boven elkaar staan, zonder elkaar te kunnen zien, zonder elkaar te kunnen voelen.
Ik sta in het midden en heb me nog nooit zo ver bij iedereen vandaan gevoeld.

Ik ga niet meer tandenpoetsen, maar kruip gewoon met kleren en al mijn bed in. Zo lig ik onder mijn dekbed tot het buiten donker wordt. Ik moet onwijs nodig plassen, maar ik heb geen zin om

mijn bed uit te gaan. Iris gaat douchen en het geluid van stromend water maakt dat mijn blaas bijna op knappen staat. Ik hoop dat ik in slaap kan vallen, dat ik dan niet meer merk hoe nodig ik moet. Maar Iris is niet zomaar klaar (stomme griet, haar wassen, crèmespoeling, benen scheren onder de douche...). Ik houd het echt niet meer op. Met mijn benen tegen elkaar gedrukt strompel ik naar mijn bureau en zittend op mijn knieën plas ik in mijn Ajax-prullenmand. Ken je dat gevoel, dat je ontzettend nodig moet en dat het dan eindelijk kan? Normaal voel je je enorm opgelucht, maar om de een of andere reden zit ik bijna te janken. Ik pak mijn deo en spuit wat in het rond. Daarna pak ik mijn mobiel. Op de klassenlijst heb ik het nummer van Thirza opgezocht. Zal ik haar een sms'je sturen? Er is best iets onschuldigs te bedenken, iets over het toneelstuk of gewoon over de gymles van morgen. Maar verder dan haar nummer in het geheugen zetten ga ik niet.
Ik kruip mijn bed weer in en luister hoe mijn moeder beneden hyperactief laden open en dicht schuift. Ik zou wel willen bidden, zoals ik vroeger deed, voor mijn vader doodging. Maar ik durf het al heel lang niet meer.

Ik droomde nogal leuk (één keer raden over wie) tot ik wakker werd omdat er iemand aan mijn arm trok.
'Niels, Niels, wakker worden.'
Eerst denk ik dat het Iris is, maar dan zie ik dat het mijn moeder is. Doordat het licht van de overloop door het verwarde haar van mijn moeder schijnt ziet ze er vreemd uit. Op de een of andere manier moet ik terugdenken aan de nacht dat ik wakker werd van het lawaai op de trap. Ik kom zo snel overeind dat ik er duizelig van word. Mijn moeder legt haar vinger tegen haar lippen.
'Ssst. Je moet je bed uitkomen en je aankleden. We gaan zo weg.'
Mijn keel is droog, omdat ik gisteren mijn tanden niet heb gepoetst, denk ik. Pas na een paar keer slikken kan ik iets zeggen.

'Weg?'
De ogen van mijn moeder staan raar, maar misschien komt dat door het licht, of doordat ik niet goed wakker ben. 'Ja, we gaan weg. Kleed je maar snel aan. En neem wat extra kleren mee, voor een paar dagen.'
Mijn hoofd wordt langzaam helderder. 'Waar gaan we dan naartoe?'
Ze lacht zacht, heel lief. 'Een verrassing.'

HOOFDSTUK 12

Het liefst zou ik naar Iris gaan, om te vragen wat zij denkt van dit belachelijke gebeuren, maar Bastiaan rent mijn kamer binnen en springt op het bed. Mijn moeder pakt hem bij zijn schouder (springen op bedden is verboden) en loopt dan naar de zolder. Ik hoor haar praten met Iris, een kalme stem en een minder rustige. Die is van Iris, die gaat echt niet zomaar midden in de nacht haar bed uit.

Bastiaan kijkt mij aan. 'Waar denk jij dat wij naartoe gaan? Naar Disneyland misschien?'

Ik zie het voor me, wij met ons vieren in zo'n gigantisch pretpark waar volgens mijn moeder op elke hoek kinderlokkers staan te wachten die je verdoven, je haar afknippen, je omkleden en in een rolstoel zetten en je dan zo de poort uitrijden om je organen te stelen.

'Misschien wel,' zeg ik vaag. 'Wie weet.'

Om mijn moeder te misleiden ga ik mijn bed uit, pak mijn sporttas en begin wat kleren in te pakken. Ik stop net drie paar sokken in het zijvak als mijn moeder haar hoofd om de hoek van de deur steekt. 'Kom je, Bastiaan, dan doen we samen jouw tas.'

Zodra ik hen op de kamer van Bastiaan hoor praten sluip ik naar boven, naar Iris, die rechtop in haar bed zit, het dekbed om zich heen geslagen.

We kijken elkaar eerst een tijdje aan, dan schudt ze haar hoofd. 'Nu is ze dus echt gek geworden.'

'Misschien is het echt een verrassing,' zeg ik. 'Het zou toch kunnen? Oma zegt al maanden dat we er eens tussenuit moeten.'

Iris veert op. 'Oma! Dat is een goed idee. Laten we haar bellen, misschien kan ze mama ompraten.'

Ze pakt haar mobiel en zet hem aan. 'Nee hè, vergeten op te laden. Haal snel die van jou.'

Als ik de trap af loop komt mijn moeder net uit de kamer van Bastiaan. 'Ben je al klaar, Niels? Ik wil over een kwartier weg.'
Iris staat halverwege de zoldertrap. 'Waar gaan we heen, mam? Maandag begint mijn toetsweek, ik moet leren.'
'Neem je boeken maar mee, volgende week zijn we allang weer terug. Ik heb het met jullie scholen geregeld.'
Ze klinkt heel verstandig, heel logisch. Ze wrijft niet eens in haar handen.
Iris verroert zich niet. 'Wáár gaan we dan naartoe?'
'Dat is een verrassing.'
'Maar wat voor kleren moet ik dan mee?' Iris kijkt mij aan, alsof ze van mij ook een zinnige vraag verwacht. 'Iets sportiefs of misschien iets voor een warm land?'
Mijn moeder kijkt gewoon zoals elke moeder kijkt als je haar te slim af denkt te zijn. 'Neem maar gewoon mee wat je hier ook zou dragen, een beetje makkelijk. En in elk geval een fleecetrui.' Ze lacht. 'Het leek mij gewoon goed om samen eens iets leuks te doen. De juf van Bastiaan was hier gisteravond en die heeft me aan het denken gezet. Misschien ben ik de laatste tijd wel een beetje te beschermend geweest en moeten we nu maar eens iets geks doen.'
In Iris' ogen zie ik mijn eigen onzekerheid. Stel je voor dat het waar is wat mijn moeder zegt, dat ze eindelijk inziet dat ze een beetje maf aan het worden was en dat ze nu haar leven wil beteren. Stel je voor dat dát zo is en dat wij dan ineens moeilijk gaan doen.
Mijn moeder kijkt op haar horloge. 'Het is nu bijna drie uur. Als we over een kwartier weggaan zijn we er morgenochtend vroeg en kunnen we die paar dagen optimaal uitbuiten. Dan ben jij weer op tijd terug voor je proefwerkweek, Iris.'
Ze wrijft nog steeds niet in haar handen, ze lacht en geeft mij een tikje tegen mijn schouder. 'Opschieten, joh. Wie het eerst klaar is, krijgt een stuk chocola.'
Als ze chocola gaat uitdelen is er echt iets veranderd. Iris en ik

lopen tegelijk naar onze kamers. Ik let nu iets serieuzer op wat ik inpak. Als laatste gooi ik mijn mobiel in de tas, met de oplader erbij.

HOOFDSTUK 13

In de woonkamer struikel ik bijna over een kratje met boodschappen dat mijn moeder kennelijk al heeft ingepakt. Bovenop ligt een reep chocola. Ze gooit (ja echt, mijn moeder gooit ergens mee...) hem naar Bastiaan. 'Deel maar in drieën.'
Ze moppert zelfs niet dat we onze handen moeten wassen voor we de chocola opeten.
'Zachtjes voor de buren,' zegt ze als we naar buiten gaan. 'Die moeten morgen gewoon naar hun werk.'
Bastiaan is als eerste bij de auto. Hij fluistert. 'Mam, mag ik deze keer voorin?'
Ik kijk naar Iris. Dit is de ultieme test. Volgens mijn moeder mag je pas voorin als je de lengte van een volwassene hebt, Iris hoeft sinds kort niet meer op de achterbank. Ik moet minstens nog tien centimeter groeien.
Mijn moeder lacht alweer. 'Vooruit maar, het is toch niet zo druk op de weg.'
Iris is zo sprakeloos dat ze niet eens protesteert dat zij de oudste is, en ik bedenk pas later dat ik op zijn minst had kunnen vragen of ik na een uur voorin mag. Voorlopig zit ik met Iris op de achterbank, terwijl we door doodstille straten onze woonplaats uit rijden. Op de snelweg halen we af en toe een vrachtwagen in.
Het is heel rustig, zo in het donker rijden. Als ik strak naar het achterhoofd van mijn moeder blijf kijken, zou ik mij in kunnen denken dat mijn vader rechts voorin zit. Het gekke is dat ik nog maar half weet hoe hij eruitzag. De kleur van zijn haar en ogen, en die gekke pukkel achter zijn rechteroor. Maar hoe zijn stem klonk en hoe hij lachte ben ik vergeten. Ik heb geen foto van hem meegenomen, bedenk ik ineens. Zou Iris daaraan gedacht hebben? Vanuit mijn ooghoeken kijk ik naar haar en ik zie hoe ze met kleine handbewegingen mijn aandacht probeert te trekken.

Ik draai mijn hoofd langzaam opzij. Ze wijst naar de grens tussen zitting en rugleuning, naar de houder waar haar veiligheidsriem in zit geklemd. Met haar linkerhand pakt ze hem beet, terwijl ze langzaam haar rechterhand voor haar buik langs beweegt tot ze de veiligheidsriem vast heeft. Laag, vlak boven de metalen klip. Ze drukt op de rode knop en houdt met haar hand de riem tegen, zodat hij niet te snel losschiet. Rustig laat ze hem vieren, tot hij helemaal opgerold is. Dan doet ze demonstratief haar armen over elkaar.

Mijn moeder heeft niets in de gaten. Ik vraag me af wat Iris hiermee denkt te bereiken. Als ze uit wil proberen of het gedrag van mijn moeder zo ver is omgeslagen dat ze het zelfs geen punt vindt dat we zonder gordel in de auto zitten, had ze niet zo overdreven geheimzinnig hoeven doen. Ik geef direct toe dat mijn moeder een veiligheidsfreak is, maar volgens mij vindt geen enkele ouder het goed als een kind zonder gordel over de snelweg zoeft.

Maar Iris is kennelijk nog niet klaar. Ze steekt weer haar vinger op, als signaal dat ik moet opletten. Ze graaft in de zakken van haar skatebroek.

Ik wil niet al te overdreven opzijkijken en omdat het in de auto donker is, kan ik amper zien wat ze tevoorschijn haalt. De lantaarnpalen waar we langsrijden zorgen voor oranje flitsen, maar zelfs dat helpt niet echt. Pas als ze het naar haar hals brengt zie ik wat het is.

Een week of drie geleden had Iris onwijze ruzie, omdat ze een nekband met spikes wilde kopen. Mijn moeder verbood het. Volgens haar was dat iets voor honden en zou je er agressie mee opwekken. Bovendien was het gevaarlijk. Je zult maar vallen en dat ding schiet los en een van die pinnen komt in je oog of in je halsslagader. Vraag mij niet hoe mijn moeder dat soort dingen allemaal verzint en vraag mij helemaal niet hoe Iris het toch voor elkaar heeft gekregen zo'n ding aan te schaffen. We mogen nooit geld op zak hebben, omdat mijn moeder ook daarvoor minstens tien vormen van gevaar weet te bedenken.

Iris heeft inmiddels haar beide handen achter haar nek. Ze rommelt even en dan zit het ding vast. Met de top van haar rechterwijsvinger raakt ze alle punten een voor een aan, alsof ze ze telt. Dan zucht ze diep en doet haar armen over elkaar.
Ik zou werkelijk niet weten wat ik uit zou moeten halen om te overtreffen wat zij zojuist heeft gedaan, dus staar ik maar naar buiten. De donkere snelwegberm wordt vaag vermengd met mijn eigen spiegelbeeld. We naderen Utrecht.
Ik vraag me af hoe je kamer ruikt als je een paar dagen lang een plasje in je prullenmand laat zitten.

HOOFDSTUK 14

Op een groot en bijna uitgestorven verkeersplein neemt mijn moeder de afslag naar een andere snelweg. Eindhoven, zie ik op de borden staan, maar ook Brussel. Het kan nog alle kanten op, maar in elk geval rijden we naar het zuiden. Het is maar goed dat Bastiaan slaapt, anders zou hij voor de zoveelste keer vragen of we naar Disneyland gaan.

Ooit hadden mijn ouders een goed idee. In de brugklas mocht je samen met mijn vader naar een door jou uitgekozen plaats in Europa. Iris koos voor Disneyland. Ik kan nog voelen hoe jaloers ik was, toen ze op een vrijdagmiddag met mijn vader wegreed. Bastiaan huilde omdat hij niet mee mocht en mijn moeder omhelsde ons beiden en zei dat wij er thuis ook een leuk weekend van zouden maken. We huurden films en mochten allebei onze lievelingschips uitzoeken. Eerst keken we met Bastiaan naar een zielige tekenfilm en daarna mocht ik opblijven om naar mijn film te kijken, terwijl we een hele bus pringles opaten. Om elf uur ging mijn moeder milkshakes halen. Ze was binnen een kwartier weer terug (met een kleine aardbeiensmaak voor haarzelf en een grote bananensmaak voor mij) en had als verrassing ook nog kroketten meegenomen.

Het is pas twee jaar geleden, maar het lijkt een ander leven.

Niemand heeft gevraagd waar ik naartoe zou willen, nu ik in de brugklas zit.

Het oranje licht van de lantaarnpalen, dat elke keer opflitst en dan weer verdwijnt, maakt mij op een vreemde manier slaperig.

We glijden geluidloos over het asfalt, het is bijna zweven. Voortbeweging zonder wrijving. Er zijn geen problemen, geen zorgen, geen vragen. Geen schuld. We glijden hier met ons vieren door de tijd en straks stoppen we bij een warm, verlicht huis en

voor we zijn uitgestapt gaat de voordeur open en staat mijn vader naar ons te zwaaien.
Ik moet diep ademhalen om het strakke gevoel in mijn longen kwijt te raken, zo diep dat Iris mij aankijkt, blijft kijken en dan haar hoofd wegdraait.
Mijn wangen voelen koud aan en als ik mijn hand erlangs haal, glimmen mijn vingers in het halfdonker.
Zelfs met mijn ogen dicht blijven de oranje flitsen zichtbaar, maar zo lukt het me beter te denken aan leuke dingen, zoals Thirza in haar knalgroene jack die zich morgen vast afvraagt waarom ik niet op school ben.
Toen mijn vader werd begraven was er een kerkdienst. Ik herinner mij er niet zoveel meer van, alleen dat vlak voor mij de kist stond waar volgens iedereen mijn vader in lag. Ik weet nog dat ik dat niet wilde geloven, want het deksel was dicht en ik zag nergens luchtgaten. Heel veel kinderen uit mijn klas waren er ook, sommigen huilden. Dat verbaasde mij, want zelf huilde ik niet. Na de kerkdienst kreeg ik van mijn klasgenoten een fotoboekje, waar geen foto's in zaten maar kaarten, die ze zelf hadden gemaakt. Nu weet ik ineens wat er op de kaart van Thirza stond. Ze had mij getekend (te herkennen aan mijn iets te lange donkere haar). Vaag zag je iemand achter mij staan, een groot, sterk iemand die zijn armen om mij heen had geslagen. Er stond ook iets bij geschreven. 'Ik vind het onwijs rot voor je, Niels, maar vergeet nooit dat je nóg een Vader hebt die je altijd troosten wil.'
Misschien kan Thirza mij vertellen of God ook naar je luistert, als je nog maar weinig bidt. Of Hij echt zomaar je schulden vergeeft.
Mijn moeder rommelt in de tas die ze tussen haar voeten en haar stoel heeft gezet. Ook zoiets, mijn moeder die nu dat soort dingen doet, terwijl ze normaal al hysterisch wordt als er waar dan ook maar iets los in de auto ligt.
Het langzame beest begint weer wakker te worden. Ik snap eerst niet waarom juist nu, in deze rust terwijl mijn moeder zo normaal doet als maar kan. Dan komt er om de een of andere onverklaar-

bare reden een verhaal in mij op, een stukje uit de krant. Een gescheiden vader nam zijn kinderen mee naar het bos om ze daar dood te schieten. Het lijkt ineens heel warm in de auto, terwijl mijn handen ijskoud zijn. We hebben het krantenbericht in de klas besproken.
Silver had het meegenomen. Er ontstond nogal een heftige discussie, omdat allerlei kinderen per se een mening wilden geven over het volgende: was die vader altijd al gestoord of kwam het door de scheiding dat hij zoiets deed. Volgens de docent moest het een opeenstapeling zijn geweest van allerlei dingen, want normaal deden mensen zoiets niet.
Ik begin mij ineens af te vragen hoeveel dingen er opgestapeld moeten worden voor mijn moeder dit soort dingen zou gaan doen. En als ze al zo lang gek was, moet ik mij dan rustig voelen als ze in één keer weer normaal is, of bewijst dat juist dat ze nu echt totaal gestoord is? Echte gekken kunnen volgens Iris het best toneelspelen van iedereen.
Moet ik Iris waarschuwen?
Ik doe mijn ogen open en draai langzaam mijn hoofd opzij. Mijn stoere zus, de metalen beugel van haar veiligheidsgordel ergens rechts boven haar hoofd, de spikeband om haar nek, ligt met haar mond half open te slapen.

HOOFDSTUK 15

We rijden over een grote brug, ver onder ons zie ik het water. Zou je van zo'n brug af kunnen rijden? Flink gas geven, dwars door de vangrail, over het fietspad, de brugleuning, zweef en plons. Moeder met drie kinderen omgekomen. Zou een spikeband roesten?
'Mam?'
'Ja?'
Ik hoest flink, om mijn keel te schrapen en om de tijd te hebben een vraag te bedenken die haar afleidt van gevaarlijke gedachten.
'Mag de verwarming aan?'
'Heb je het koud?'
'Een beetje.'
Over kou praten lijkt mij veiliger dan over warmte. Warm is zomer en zomer is zwemmen. Ook al heb ik het bloedheet, ik bedank mijn moeder dat ze de verwarming op de laagste stand zet. Ik zie dat ze even omkijkt, naar Iris, maar kennelijk ziet ze niet dat die haar gordel niet om heeft.
Zonder geluid te maken trek ik mijn T-shirt uit mijn broek en duw het, samen met mijn sweater, een stukje omhoog, zodat mijn buik bloot is. Het achterhoofd van mijn moeder is vlak voor me. Ik zou willen dat ik haar gedachten kon lezen.
Ik houd van mijn moeder. Raar dat ik dat ineens weet. Hoe gek ze ook doet, hoe vaak ik ook voor schut heb gestaan vanwege de maffe regels die ze bedenkt. Misschien komt het door het rijden in de nacht of doordat zij en ik alleen nog wakker zijn of doordat ze nu zachtjes meezingt met de muziek van de autoradio.
We zijn op het hoogste punt van de brug, even heb ik een prachtig uitzicht over de oranje verlichte weg. Dan dalen we en al snel zie ik weer land aan de linker- en rechterkant.
Ik zou onopvallend met mijn hand de hand van Iris aan kunnen

raken, haar wakker maken. Maar hoe kan ik haar vertellen wat ik denk? Praten kan niet en ik zou werkelijk niet weten wat voor gebarentaal ik zou moeten kennen om mijn gekke gedachten duidelijk te maken.
Mijn rug plakt een beetje, het liefst zou ik mijn trui uittrekken, maar dat zou te opvallend zijn. Tenslotte heb ik een paar seconden geleden gevraagd of de verwarming aan mocht.
'Ik ga zo stoppen,' zegt mijn moeder. 'Ik wil extra water halen. Zal ik voor jou ook iets meenemen?'
IJs, denk ik. Liters ijs, dat koelt lekker af. Maar ik zeg dat ik ook wel water wil. Want water is gezond en gezond betekent leven en dat vind ik op dit moment een goede gedachte voor mijn moeder.
Als ze stopt bij het benzinestation bedenk ik pas dat ik iets ingewikkelds had moeten vragen, iets wat absoluut niet in de buurt van de gekoelde dranken te vinden is, zodat ze langer wegblijft.
Zodra ze de deur achter zich dichtdoet (niet eens op slot, echt raar) por ik Iris zachtjes wakker. Ze kijkt verbaasd om zich heen en dan boos naar mij. 'Is er iets?'
Ineens weet ik niet meer hoe ik het vertellen moet.
Iris kijkt naar de helverlichte winkel. 'Gaat mama iets kopen? Ik wil kauwgom.'
Ze doet haar deur open, maar dan trek ik haar aan haar arm. 'Nee, wacht. Ik moet je iets vertellen.'
Ze doet overdreven vermoeid. 'Snel dan.'
Ik probeer een begin te ontdekken aan alle gedachten en zinnen die in mijn hoofd rondbuitelen. 'Vind je niet dat mama ineens wel heel erg veel veranderd is?'
Nu krijg ik de typische Iris-is-hier-de-enige-normale-blik. 'Is dat een probleem dan?'
'Vind je het niet eng?'
'Eng?'
Ze kijkt me nu vol afgrijzen aan. 'Eerst vind je dat mama zo maf is dat je de school van Bastiaan moet inlichten. Nu doet ze normaal

en dan is het volgens jou eng. Er is er hier maar één eng en dat ben jij.'
De stoel, waar Bastiaan zit, kraakt een beetje. Zijn stem klinkt zo slaperig dat je zou kunnen denken dat hij het erom doet. 'Wie is er eng?'
Hij kijkt om, naar ons, en dan naar de lege stoel naast hem. Zijn ogen worden groot. 'Waar is mama?'
Iris wijst naar buiten. 'Daar, iets lekkers voor ons halen.' Meteen doet ze de deur open en stapt de auto uit.
'Wacht,' roept Bastiaan. 'Ik ga met je mee.'
Iris zwaait naar mij zoals je naar een kleuter zwaait. 'Sorry hoor!' Het komt er zo vrolijk uit dat het lijkt op een felicitatie.
Ik blijf alleen achter in de donkere auto. Achter mij zoeven een paar vrachtauto's over het asfalt. De grote schuifdeuren van de winkel gaan vanzelf voor Iris en Bastiaan open.
Samen lopen ze de helverlichte winkel binnen. Ik zie hoe mijn moeder hen begroet. Dan wijst ze naar de spikes om de nek van Iris. Ze zwaait met haar wijsvinger heen en weer en lacht.

HOOFDSTUK 16

Wat zou ik kunnen doen?
Nu uit de auto stappen en me verstoppen achter het toiletgebouw. Maar dan gaan ze me zoeken als ze terugkomen, dus ik zal echt weg moeten lopen, het weiland in dat donker en dreigend achter het parkeerterrein ligt.
De winkel ingaan en aan de jongen achter de kassa vertellen dat mijn moeder ons gaat vermoorden. Waarschijnlijk wordt er dan één opgesloten en die persoon heet Niels.
De politie waarschuwen. Zeggen dat mijn moeder gek is en dat ik de enige ben die dat ziet. Ze zullen ons meenemen naar een of ander bureau en ons daar ondervragen en uiteindelijk tot de conclusie komen dat ik mij schuldig heb gemaakt aan het onnodig draaien van het alarmnummer.
Oma!
Ik grabbel om me heen, op zoek naar mijn mobiel. Ik kan oma bellen en vertellen wat er aan de hand is. Zij weet vast wel of ik mij terecht zorgen maak of niet. Tegen de tijd dat ik bedenk dat mijn mobiel in mijn sporttas zit, in de kofferbak, staat mijn moeder bij de kassa.
Als ik mijn deur opendoe, gaat de verlichting in de auto aan. Snel doe ik de deur dicht en loop naar de achterkant van de auto. De achterklep zit op slot. Ik weet dat je die van binnenuit kunt openen maar hoe is mij een raadsel. Kan ik bij de kofferruimte als ik een deel van de achterbank neerklap? Iris staat nu ook bij de kassa en Bastiaan komt net aanlopen. Mijn moeder aait hem over zijn haar en wijst naar een rekje dat op de toonbank staat. Er zal wel snoep inzitten. Als ik nu in de auto stap, gaat weer het licht aan. Daarom loop ik naar de winkel.
Mijn moeder kijkt verrast op. 'Hé Niels, goed dat je binnenkomt. Wil je ook iets lekkers? Maximaal twee euro.'

Voor de vorm zoek ik uit het rek op de toonbank een zakje drop. Mijn moeder laat het scannen en gooit het dan naar mij. 'Vang! En niet alles tegelijk opeten.'
Achter de anderen aan sjok ik terug naar de auto.
'Mag ik mijn mp3-speler?' vraagt Bastiaan. Ik houd mijn adem in, als de achterklep opengaat kan ik zonder al te veel op te vallen mijn mobiel pakken. Mijn moeder doet haar deur open. 'Natuurlijk, hij zit in mijn tas. Pak hem maar.'
Ik zou kunnen vragen of ik dan mijn mobiel mag, om een spelletje te doen. Maar ik houd mijn mond. Ik wil er geen aandacht op vestigen dat ik mijn mobiel bij me heb.
'Wat luister je?' vraagt Iris aan Bastiaan. 'Zo'n enge kleuterband?'
Bastiaan draait met een ruk zijn hoofd om en kijkt mij aan. 'Dat is waar ook. Waarom vond Iris jou nou eng?'
Onder mijn haar prikt het, maar ik haal heel nonchalant (hoop ik) mijn schouders op. 'Geen idee. Eng?'
Iris kijkt mij aan alsof ze mij in haar macht heeft. Wat natuurlijk ook zo is. 'O ja,' zegt ze. 'Dat is waar ook. Ik vond Niels eng.'
Ze legt haar armen op de leuning van de stoel voor haar en fluistert: 'Weet je waarom, Bastiaan?'
Bastiaan houdt de oortjes die hij net in wil doen een paar centimeter van zijn hoofd. 'Nee.'
'Omdat hij zo nieuwsgierig is!'
Iris lacht haar superieure grote-zussenlach en op de een of andere manier voel ik mij gerustgesteld. In elk geval is iets hetzelfde gebleven.

We rijden weg, de donkere nacht in. Bas slaapt alweer na een paar minuten en ook Iris is onder zeil. Misschien kunnen we op de rij af gaan. Met de klok mee. Eerst Bastiaan, dan Iris, dan ik. En als wij dan allemaal slapen, kan mijn moeder ook in slaap vallen en dan zijn we allemaal dood zonder dat het expres is gebeurd.

HOOFDSTUK 17

De muziek op de radio wordt onderbroken door een bericht over een spookrijder. Ergens in de buurt van Eindhoven. Voor de zekerheid controleer ik of wij het niet zijn.
In de verte naderen een paar grote koplampen die recht in mijn ogen schijnen.
'Mam,' wil ik zeggen. 'Ga opzij. Er komt een spookrijder aan.'
Maar ik kan niet praten, want er zit iets in mijn mond. Ik trek het er een stukje uit en zie dat het zwart is, maar het smaakt niet naar drop. Het is glad en dun en ik kokhals omdat ik bijna stik. De koplampen komen steeds dichterbij, maar mijn moeder lijkt ze niet te zien. Ze zingt nog steeds zachtjes mee met de radio en stuurt zelfs een beetje naar links. Ik kan niet goed kiezen wat verstandiger is, het zwarte uit mijn mond halen of haar aanraken en wijzen. Misschien kan ik beter Iris wakker maken. Als zij ziet wat er aan de hand is, kan ze mijn moeder waarschuwen. Maar de spikes van haar keelband zitten in haar nek gedrukt, er druipt bloed op haar T-shirt en als ik naar Bas kijk, zie ik dat het snoer van zijn mp3-speler om zijn nek zit gedraaid. De lichten komen steeds dichterbij en mijn moeder zingt en lacht en zegt: 'Zie je dat licht? Zullen we gewoon die kant op rijden?'
Ik wil schreeuwen en het zwarte schiet eindelijk uit mijn mond. Het is mijn sportbroekje, zie ik, net voor het licht me verblindt.
'Of weet je al waar we heen gaan?'
De stem van mijn moeder klinkt rustig, maar ik zie alleen maar geel en oranje en voel zelfs warmte op mijn gezicht.
Ik ga dood, denk ik. Eigen schuld, dikke bult.
Bastiaan zegt iets. Het klinkt als 'moord'.
Er schiet een enorme schok door mijn lijf, ik probeer te kijken maar ik kan niets zien door die warme oranje gloed bij mijn gezicht.

De stem van mijn moeder klinkt rustig en zacht. 'Inderdaad, Bas. Heel mooi.'
Ik voel de bekleding van de stoel, het glas vlak bij mijn gezicht. Mijn handen kan ik ook zien, oranje, alsof er dichtbij een vuur brandt.
Weer de stem van Bastiaan. 'Wat is er, Niels? Waarom doe je zo gek?'
Mijn moeder draait het spiegeltje iets, zodat ze me kan zien. Ze kijkt niet echt bezorgd, eerder een beetje vrolijk. 'Droomde je?'
Links van mij komt de zon als een prachtige lichtbal boven de horizon uit.

Iris slaapt nog steeds, Bastiaan begint ook weer in slaap te sukkelen. De zon is inmiddels helemaal zichtbaar en lang niet meer zo oranje als eerst. Mijn moeder heeft haar spiegeltje teruggedraaid.
Het wordt wat drukker op de weg. We rijden door een glooiend landschap met heel veel natuur. De meeste auto's hebben een Belgisch nummerbord. Aangezien ik echt niet geloof dat we op weg zijn naar Parijs, weet ik nog maar één andere mogelijkheid te bedenken en daar ben ik helemaal niet blij mee.

Ik geloof in God, daar wil ik nu wel eerlijk over zijn. Ik geloof dat Hij bestaat en dat Hij van mij houdt en voor mij zorgt en al dat gedoe. Daarom vraag ik Hem nu dringend ervoor te zorgen dat mijn moeder van richting verandert, dat ze teruggaat of desnoods ontzettende autopech krijgt. Maar we rijden gewoon verder over de weg die mij vaag bekend voorkomt. Als ik een bord zie waar 'Clervaux' opstaat weet ik zeker dat dit allemaal gigantisch mis gaat lopen.
Bastiaan en Iris slapen nog steeds en ik zeg niets, omdat ik het heel erg druk heb met een beetje rust en orde in mijn hoofd krijgen. Misschien kan ik de deur opendoen en me uit de auto laten vallen, maar op de een of andere manier is dat ook niet de oplos-

sing. Ik weet heel goed wat er met je nek kan gebeuren als je hard valt.
Als de asfaltweg overgaat in een hobbelend karrenspoor wordt Iris wakker. Ze kijkt eerst verward om zich heen en daarna naar buiten, precies als we de bocht omgaan en het huisje zichtbaar wordt. Haar mond valt open en haar ogen schieten vuur.
'Wat! Wat doen we hier?'
Mijn moeder parkeert de auto op de grindstrook langs het gras. 'Ik heb het voor een paar dagen kunnen huren, het leek mij wel leuk.'
'Leuk?' Iris kijkt of ze met een fietshelm op de winkelstraat door moet lopen. 'Leuk? Mooi niet!'
Ze doet haar armen demonstratief over elkaar en kijkt naar het achterhoofd van Bastiaan die nu ook wakker wordt.

HOOFDSTUK 18

Bastiaan kijkt eerst net zo wazig als Iris deed, maar direct daarna doet hij het portier open. 'Gaaf! Hier waren we vorig jaar ook! Mag ik weer boven in het stapelbed?'

Hij is al uitgestapt, rent naar het huisje en kijkt door het raam naar binnen. Hij weet nog precies waar de sleutel ligt. Vorig jaar moest hij op zijn tenen staan om met zijn hand bij de dakgoot te komen, nu kan hij er makkelijk bij. Na wat gemorrel heeft hij de deur open en gaat hij naar binnen. Mijn moeder kijkt van Bastiaan naar Iris, die nog steeds met haar armen over elkaar voor zich uit zit te staren. 'Ik stap mooi niet uit.'

Mijn moeder kijkt naar het huisje, maar praat tegen Iris. 'Ik dacht dat jullie het leuk zouden vinden. We hebben het hier vorig jaar zo goed gehad...'

'Ja, net wat u zegt. Vorig jaar. En dat is niet nu.'

Mijn moeder huilt, zie ik ineens. Niet met snikken en snotteren, maar gewoon met een paar grote tranen die uit haar ooghoeken naar beneden rollen. 'Toe nou, Iris. Laten we er een paar fijne dagen van maken.'

Iris laat haar hoofd zakken, zodat haar lange haar voor haar ogen hangt. Ik denk dat zij ook huilt en nu weet ik helemaal niet meer wat ik doen moet. Daarom stap ik maar uit.

In het huisje is het koud. Het duurt even voor ik Bas vind. Hij staat in de woonkeuken en wijst naar de bekers in de kast. 'Weet je nog, Niels? Ik had er één gebroken en toen ging ik met papa een nieuwe zoeken, in de stad Luxemburg, en toen ontdekten we daar een Blokkerwinkel.'

Ik weet nog precies hoe raar ik dat vond. Dezelfde winkel, dezelfde prijzen. Papa mopperde een beetje, dat hij niet echt een vakantiegevoel kreeg als dingen precies hetzelfde waren als thuis. Dingen worden nooit meer hetzelfde.

Het liefst zou ik die stomme rotbekers op de vloer kapot smijten of ze tegen Iris haar hoofd aangooien. Door het raam zie ik dat ze nog steeds in de auto zit, terwijl mama op haar in zit te praten.
'We gaan uitladen,' zeg ik tegen Bastiaan.
We lopen naar buiten, ik doe de kofferbak open en geef Bastiaan de tassen aan. Mijn moeder is inmiddels naast de auto gaan staan en praat door de open deur nog steeds met Iris.
Ik weet wat ik zou moeten zeggen. Dat mijn moeder gewoon naast Iris moet gaan zitten en een arm om haar heen moet slaan, zodat ze in elk geval samen huilen, maar ik ben bang dat, als ik dat soort woorden uit mijn mond laat komen, ik zelf ook moet huilen.
'Waarom wil Iris niet uit de auto?' Bij de voordeur kijkt Bastiaan mij aan. 'Het is toch leuk hier?'
Mijn sporttas schampt langs zijn buik als ik hem opzijduw. Als hij nu ook gaat huilen, ben ik de enige die die rotte buikbeesten de baas is.
Lekker gezin zijn wij.

Als ik weer buiten kom, staat mijn moeder bij Bastiaan. 'Weet jij wat ik moet doen, Niels? Ze wil er niet uit.'
Mijn stem klinkt veel bozer dan ik bedoel. 'Lekker laten zitten. Als u de sleutels maar uit het contact haalt.'
Mijn moeder kijkt nogal onzeker. 'Laten zitten? Denk je dat dat helpt?'
Niks helpt, denk ik. Niks kan nog iets veranderen aan alle rottigheid die over mij heen dendert, maar dat maakt niets uit. Rotter dan nu kan het niet meer worden.
Ik pak het krat met levensmiddelen uit de kofferbak en breng het naar de keuken. Omdat ik graag mijn gedachten wil verdrijven met domme bezigheden, ga ik alles wat koud moet blijven in de koelkast zetten.
Op mijn hurken, met een pak yoghurt in mijn hand, blijf ik zitten. Waarom zou mijn moeder eten meenemen als ze van plan was

om ons onderweg te laten verongelukken?
Ik schaam me rot. Iris heeft gelijk, ik ben inderdaad eng. Er is er maar één gestoord en dat ben ik.
Het snelle beest schiet omhoog en blijft zitten onder mijn keel, zodat ik rechtop moet gaan staan en diep ademhalen. Net op dat moment komt Iris binnen, die een ontzettend vernietigende blik op mij werpt. 'Doe die koelkast even dicht, het is hier al koud genoeg.'

HOOFDSTUK 19

Ik overweeg koelbloedig wat voor effect het heeft als je een pak yoghurt tegen de muur kwakt. Zal het aan alle kanten openbarsten, zodat de inhoud als een prachtige vlek tegen de vergeelde verf spat, of komt er alleen bij een naad een scheur, zodat er een zielig spettertje aan het plafond kleeft?

Ik gooi niet.

Het meest waarschijnlijke is dat het pak alleen een beetje indeukt en dat het op de vloer valt en daar blijft liggen. Iris zou minachtend naar de yoghurt en mij kijken en dan hooghartig zeggen: 'Sorry, hoor.'

In het echte leven is het altijd minder mooi dan in films. In een film zou mijn moeder nu binnenkomen, samen met Bas. We zouden elkaar allemaal aankijken en een van ons (ik denk mijn moeder) zou als eerste haar armen uitstrekken. We zouden naar elkaar toe lopen, eerst langzaam en dan met een paar grote stappen en dan zouden we elkaar omhelzen en huilen, maar dat is dan niet te horen omdat de mooie muziek steeds harder gaat spelen. Iets met violen, waarschijnlijk. Het laatste beeld van de film zou zijn dat we met ons vieren op een prachtige, groene heuvel zitten, terwijl de zon ondergaat. Of opkomt, dat is nog mooier, een nieuwe dag, een nieuw begin.

In het echte leven draai ik Iris mijn rug toe en zij smijt de kamerdeur dicht. De kou die uit de koelkast komt is aangenaam warm vergeleken met de temperatuur van mijn hart.

Er zullen boodschappen gedaan moeten worden, zie ik. Mijn moeder heeft gewoon meegenomen wat er thuis in de koelkast lag. Vlees en groente is er niet. Hier in Luxemburg hebben ze gigantische supermarkten, waar ze een enorme bakkersafdeling hebben met allerlei luxe broodjes. Papa zegt altijd...

Papa zegt altijd...

Papa zei altijd...

De donkere vlekjes op de plavuizen zijn tranen, denk ik. Ik dacht de buikbeesten in bedwang te hebben, maar heel stiekem is de langzame gluiperd naar boven gekropen. Omdat ik bang ben (zo bang...) dat er nu iemand binnenkomt, blijf ik met mijn kop in de koelkast aan de flessen en pakken schuiven tot ik het beest teruggedrongen heb naar waar het hoort. Ver weg in het donker. Daarna sluip ik naar buiten (de rest is boven op de slaapkamers tassen aan het uitpakken) en pluk een gigantische bos veldbloemen die heel mooi zou staan in de stenen melkkan die in de keuken staat. Bij het riviertje achter in het weiland pluk ik lange stengels met paarse klokjes. Voorzichtig, want ze zijn giftig. Als je ze opeet, krijg je een hartaanval. Als mijn vader aan een hartaanval zou zijn overleden, zou alles anders zijn. Dan was het mijn schuld niet. Die melkkan blijft voorlopig leeg, want uiteindelijk smijt ik de bloemen in het water. Ze worden meegenomen door de stroom en verspreid tot zielige losse groene sprietjes met hier en daar een kleurtje. Een halfuur werk in tien seconden verdwenen.

Als ik terugkom bij het huisje is het leven gewoon doorgegaan. Mijn moeder zit met Bastiaan te Yahtzeeën maar ze kijkt de hele tijd naar Iris die op de bank in haar geschiedenisboek ligt te staren. In de keuken was ik mijn handen. Het water is ijskoud en ineens bedenk ik dat ons gezin uit elkaar drijft als een zielig bosje bloemen. Zonder iets te zeggen loop ik naar boven, naar de kamer die ik met Bastiaan deel. Mijn bed (het onderste) is al netjes opgemaakt en mijn tas staat ernaast. Ik doe de rits heel langzaam open, zodat het zo min mogelijk geluid maakt. Mijn mobiel is wat naar onderen gezakt, de oplader ligt nog bovenop. Ineens staat mijn moeder achter me. 'Ga je mee? We gaan boodschappen doen.'

'Ik blijf hier, om mijn tas uit te pakken.'
'Doe dat straks maar, tijd genoeg.'
Dus rits ik de tas weer dicht en gooi ik hem terug op het bed.
Eerlijk gezegd heb ik best wel trek in een lekker broodje.
Ik zorg ervoor dat ik als eerste bij de auto ben, zodat ik voorin kan zitten. Niemand zegt er iets van.
'Wat willen jullie vanavond eten?'
Laat Iris en Bastiaan maar kibbelen over macaroni of patat. Alsof er niets belangrijkers op de wereld is.

HOOFDSTUK 20

Het is nog niet echt vakantietijd. In de supermarkt is het rustiger dan ik van vorig jaar gewend ben. Weinig mensen in korte broeken of trainingspakken. Op de achtergrond speelt een of ander duf Duits lied. Iris en Bastiaan lopen alweer te bekvechten, nu over welke chips er mee moet. Mijn moeder laadt intussen de kar vol met een enorme hoeveelheid blikvoer. Dan is er echt iets veranderd, vroeger aten we alleen maar vers. Blikvoer is namelijk kankerverwekkend vanwege de coating aan de binnenkant. Tenminste, dat zei mijn moeder een paar maanden geleden. Nu neemt ze zelfs cola mee zonder dat ze gaat vertellen wat er gebeurt als je daar een melktand in legt.

Ik zie de enorme paarse chocoladerepen die ze hier verkopen. 'Mag ik er één?'

Mijn moeder haalt haar schouders op. 'Doe maar, als je hem deelt met de anderen.'

Op de broodafdeling zie ik de broodjes die ik het lekkerst vind, een soort spiraal van deeg met kaneelsmaak en een laagje witte glazuur. Ik weet nog precies hoe ze smaken. Mijn moeder ziet me kijken. 'Zal ik er een paar meenemen, voor bij het koffiedrinken straks?'

'We hebben al chocola.'

Ze kijkt me aan alsof ik ziek ben, en dat ben ik misschien ook wel. 'Dan neem ik ze mee voor morgen, voor bij het ontbijt.'

Natuurlijk. Gisteren had ik nog ruzie omdat ik 's morgens een boterham met zoet wilde in plaats van die eeuwige yoghurt met muesli en versgeperst sinaasappelsap. En nu krijg ik ineens broodjes waarvan de gaten in je tanden vallen. Heel logisch.

Mijn moeder pakt me zachtjes bij mijn arm. 'Voel je je niet lekker, Niels? Je bent zo stil.'

Ik voel me zo prima als je je maar voelen kan, als je volledig in de

war bent. Dat Iris en Bastiaan het allemaal volstrekt normaal lijken te vinden zorgt er ook niet echt voor dat ik me beter voel. En dat mijn moeder nu eens terecht bezorgd is, werkt ook niet mee.
'Ik ben gewoon moe.'
Mijn moeder knikt opgelucht. 'Dat is ook geen wonder, het was best wel een rare nacht. Ik denk dat we straks allemaal maar eens moeten gaan bijslapen.'
Slapen. Even van de wereld zijn. Geen slecht idee. Dus help ik braaf om de boodschappen naar de auto te brengen en ze daarna het huisje in te sjouwen, waar mijn moeder alles opbergt. Het valt haar niet op dat alles wat we van huis mee hebben genomen al opgeruimd is.
Terwijl ze met haar voet de koelkast dichtdoet, kijkt ze ons vragend aan. 'Wat gaan we doen? Eerst maar een dutje?'
Iris trekt haar walggezicht. 'Slapen? Ik ben geen baby.'
'Mag ik in de hangmat?' Bastiaan ziet natuurlijk alles als één groot feest.
Mijn moeder aarzelt even. 'Buiten, bedoel je? Dan ga ik in een tuinstoel liggen. Misschien nog niet eens zo'n gek idee.'
'Ik ga muziek luisteren,' zegt Iris. Ze haalt haar mp3-speler uit een van de grote zakken van haar skatebroek.
Dan kijkt iedereen naar mij.
'Ik ga op bed liggen.'

Het is half twaalf, zie ik op mijn mobiel, de middag is nog niet eens begonnen. Er zit een stopcontact naast de deur, maar ook één onder het bed, voor de lampjes. Daar stop ik de oplader in, zodat niemand het zien kan. Vraag mij niet waarom, ik ben nu eenmaal de enige hier die gestoord is.
Het kussen ruikt een beetje muf. Ik zou Thirza een sms'je kunnen sturen om haar te vertellen waar ik ben. Maar ik ben bang dat ze enthousiast reageert en sms't dat ik een bofferd ben omdat ik zomaar op vakantie ga. Hoe ík dan moet reageren weet ik niet. Mijn verstand zegt dat het allemaal prima in orde is, maar geen

haar op mijn hoofd die eraan denkt de telefoon op te laden op een zichtbare plek.

Ik word wakker van de geur van gebakken eieren.

HOOFDSTUK 21

Helaas moet ik toegeven dat Iris fantastisch spiegeleieren kan bakken. Ze doet er altijd een paar schijfjes tomaat bij en wat geraspte kaas eroverheen. De randjes worden knapperig, terwijl het eigeel vloeibaar blijft. Ik ga vooruit, want het verbaast me niet eens dat mijn moeder niet over salmonellavergiftiging begint.

'Lekker geslapen?' vraagt Bastiaan. Ik zie op de klok dat het bijna drie uur is.

Mijn moeder geeft mij een bord aan. 'We gaan naar Clervaux. Wil je mee?'

Wat zou ik hier moeten doen, in mijn eentje? Het levert alleen maar veel te veel nadenktijd op.

'Ik ga wel mee.'

'Gezellig. We vertrekken over een halfuurtje.'

De laatste keer dat ik in Clervaux was waren we nog met ons vijven. Er is een mooi wit kasteel met daarin maquettes van alle kastelen in Luxemburg, en dat zijn er nogal wat. Mijn vader en ik bleven steeds achter bij de rest, omdat mijn vader allerlei interessante dingen wist te vertellen over hoe mensen zichzelf en hun bezittingen vroeger verdedigden tegen gevaar van buitenaf. Dikke muren, uitkijkposten, slotgrachten en ophaalbruggen. Maar hoe verdedig je je tegen dingen die van binnen komen? Tegen gedachten die maar blijven komen, ook als je dat helemaal niet wilt? Tegen verdriet en schuldgevoel?

Ik snij het eiwit weg tot alleen nog het geel over is. Met mijn mes schuif ik het op mijn vork en dan mijn mond in. Ik concentreer me op de smaak. Het is warm en zacht en een heel klein beetje zout door de gesmolten kaas. Heerlijk.

Als ik mijn ogen opendoe, ziet het er eigenlijk best gezellig uit. Iris en Bastiaan wassen de vaat (zonder ruzie) en mijn moeder rommelt in haar tas. Vanuit mijn buik wordt mijn hele lijf warm.

Volgens mij komt dat niet alleen door het gebakken eitje.
Ik neem mijzelf iets voor. Als ik mij weer rot voel, als de buikbeesten weer beginnen te kruipen, ga ik heel hard aan spiegeleieren denken. Aan warme spiegeleieren met gesmolten kaas en een knapperig randje.
'Ga jij maar voorin,' zeg ik tegen Iris als we bij de auto staan. 'Jij bent nog niet geweest.'
En ik houd zelfs de deur voor haar open.
In Clervaux kunnen we midden in het centrum parkeren. 'Ik wil naar de tank,' roept Bastiaan.
Overal in Luxemburg kom je Amerikaanse legertanks tegen, overblijfselen uit het Ardennenoffensief van de Tweede Wereldoorlog. Dat weet ik van mijn vader. Dezelfde vader die vorig jaar mijn kleine broertje nog moest helpen om op de tank te klimmen. Nu kan Bas het alleen. Enthousiast wenkt hij mij. 'Kom ook, Niels.'
Maar ik blijf zitten op het bankje en gek genoeg is het Iris die Bastiaan gezelschap gaat houden. Mijn moeder loopt om het groene gevaarte heen en maakt foto's.
'Wil je er ook op? Dan maak ik een foto van jullie drieën.'
Ik schud mijn hoofd en wijs naar achteren. 'Ik loop even die kerk binnen.'
'Goed,' zegt mijn moeder, maar het klinkt een beetje verbaasd. Van een afstand kijk ik om en ik moet toegeven, ze ziet er niet bepaald uit als een vrouw die van plan is haar kinderen te vermoorden.

HOOFDSTUK 22

In de kerk is het koel. Koel en stil. Ik zit op de stoelen die achterin zijn neergezet en die beter zitten dan de knielbanken die verderop staan. Het is een rooms-katholieke kerk, die er van binnen heel anders uitziet dan de kerk waar ik regelmatig kom. Veel meer decoratie. Maar het grootste verschil is dat ik de enige bezoeker ben. In mijn eigen kerk ben ik nog nooit geweest zonder dat er anderen bij waren. Het gekke is dat ik, juist omdat ik de enige ben, weet dat ik niet alleen ben. Doordat de kerk zo hoog en groot is, lijk ik extra klein en eerlijk gezegd voelt dat prima. Als je klein bent, hoef je nog niet alle antwoorden te weten en voor iedereen te zorgen. Als je klein bent, weet je gewoon dat je vader alles voor je regelt.

Ik fluister heel zacht. 'Papa.'

Het is nog niet eens fluisteren. Ik beweeg alleen mijn lippen, maar het voelt alsof ik schreeuw.

Een vader begrijpt zo'n simpel woordje heus wel. Die weet dat je hulp nodig hebt. Een vader weet het echt wel wanneer je bang bent of verdrietig.

Ik kijk om me heen maar er is nog steeds niemand, dus trek ik mijn benen op en zet mijn hielen op de zitting van de stoel. Als ik mijn armen om mijn onderbenen doe en mijn kin op mijn knieën laat rusten, zit het best comfortabel. Langs de muur van de kerk hangen schilderijen, die als een soort stripverhaal de kruisiging van Jezus uitbeelden. Ik hoef niet te kijken, vorig jaar ben ik er met mijn vader langsgelopen terwijl hij mij vertelde wat ik zag.

Had ik maar een trui meegenomen.

Hij vertelde niet gewoon wat er geschilderd was, maar meer het verhaal erachter. De feiten van het verhaal ken ik allang. Het paasverhaal krijg ik elk jaar minstens drie keer te horen. Thuis, op school en in de kerk. Maar zoals mijn vader erover vertelde was

het anders. Het ging niet alleen over toen, maar ook over nu, over hem en mij.
Het zijn mooie schilderijen, goed gemaakt met veel goud. Maar mijn vader wees juist op andere dingen, op de lange spijkers die onder aan het kruis klaarlagen en op het gezicht van Jezus. 'Pijn,' zei mijn vader. 'Ongelooflijke pijn, Niels. Zodat onze pijn eens over zal gaan.'
Ik weet nog dat ik knikte, omdat ik niet wilde praten. Ik begreep wat mijn vader bedoelde. Jezus stierf niet omdat Hij straf had verdiend, maar omdat Hij gestraft wilde worden voor wat ik fout zou doen. Ik probeerde me voor te stellen hoe het voelt als ze een spijker door je hand timmeren. Waarom zou je zoiets vrijwillig toelaten? Ik jank al als ik in een punaise trap.
En nu zit ik hier alleen en ik weet dat de moordenaar die naast Jezus hing vergeving kreeg voor wat hij had gedaan. Maar die was niet zo slecht als ik, want die gaf toe wat hij had gedaan, terwijl ik mijn moeder laat denken dat het háár schuld is.
Als ik mijn hoofd nog iets verder buig, mijn voorhoofd op mijn knieën, zie ik alleen nog maar het zwart van mijn broek. Dat past heel goed bij wat ik voel, dus blijf ik zo zitten ook al gaan mijn nek en mijn armen pijn doen. Pijn is niet erg. Misschien is pijn zelfs wat ik verdien.

Vlak nadat ik het zachte gepiep van de hoge zwarte schoenen van Iris herkend heb, knijpt ze mij in mijn nek.
'Boe!'
'Ik schrok niet,' zeg ik stoer, terwijl ik onopvallend mijn ogen afveeg aan de stof van mijn broek. 'Jij bent zo lomp dat je niet eens iemand kunt besluipen.'
'Echt wel,' zegt Iris achteloos. 'Zit je hier lekker depressief te worden, tussen al die vreselijke schilderijen?'
'Hoezo vreselijk?'
Ze kijkt met een vies gezicht om zich heen. 'Alleen maar bloed en ellende.'

Ik zie haar magere lijf, haar pikzwarte ogen, ik denk aan de muziek die ze op haar mp3-speler heeft staan. 'Volgens mij kick jij daar juist op.'
Zij staat en ik zit, maar ook als dat niet zo was geweest had ze me wel weten te kleineren.
'Wat weet jij daar nou van, jochie? Geloof jij dit nog?' Ze wijst naar de schilderijen.
Ik haal mijn schouders op. Haar stem klinkt scherp, maar de blik in haar ogen past er niet bij. 'Geloof jij in vergeving?'
Weer haal ik mijn schouders op. Het is nogal eng dat Iris weet waar ik aan denk.
Ze schopt tegen een bidstoel. 'Mama vraagt waar je blijft, we gaan naar het huisje.'
'Zeg maar dat ik eraan kom.'
Wat ben ik toch slim. Zonder dat ze het doorheeft (anders deed ze het vast niet) stuur ik haar weg, zodat ik nog even een paar keer diep kan ademhalen en mijn mondhoeken kan optrekken voordat ik naar buiten loop.

Iris zit op het stoepje van de kerk, mijn moeder en Bastiaan staan bij de ansichtkaartenstandaard van een souvenirwinkel. 'Deze voor oma,' hoor ik Bas zeggen. Hij heeft zo'n vreselijke kaart gekozen met fotootjes van de omgeving. Misschien is het wel dezelfde als vorig jaar.
Mijn moeder loopt de winkel in om te betalen. Bas kijkt superblij. 'Vind jij het hier ook zo leuk, Niels? Vanavond gaan we patat eten.'
Het leven is simpel als je acht bent.
Als mijn moeder terugkomt, geeft ze Bas de kaart, er zit al een postzegel op. 'Hebt u een pen, mam?'
Mijn moeder graaft in haar tas. Even later zit Bas met zijn tong tussen zijn tanden de kaart vol te kladderen. 'Hoe schrijf je Clervaux?'
'Dat staat aan de voorkant, uil.' Iris komt chagrijnig aanlopen.

'Gaan we naar huis? Ik wil douchen.'
Bas wappert met de kaart. 'Nog even langs de brievenbus.'
Mijn moeder draait zich abrupt om. 'Nee, we gaan nu naar huis.'
Bas kijkt verbaasd. 'Maar dat is zo gebeurd!'
'Morgen is er weer een dag. Geef maar hier, ik doe hem morgen wel op de post, als ik verse broodjes voor het ontbijt ga halen.' Ze sleept Bas zo ongeveer naar de parkeerplaats. Iris sjokt erachteraan en ik vraag me af of ik het goed heb gezien. Of het echt zo was dat mijn moeder in haar handen wreef.

HOOFDSTUK 23

Onderweg halen we patat, bij de kantine van een camping. We eten het op bij ons huisje, zo uit de zak, zittend aan de grote buitentafel.
'Dat was lekker,' zegt Iris als we klaar zijn. 'Aangezien Niels vandaag nog niets huishoudelijks heeft gedaan, mag hij opruimen.'
Ik kijk naar mijn moeder en wacht tot zij zegt dat Iris zich met haar eigen zaken moet bemoeien, maar mijn moeder ziet er zo moe uit dat ik zonder protest (wie heeft vanmorgen de auto uitgeladen?) het afval in de papieren zak prop, de mayonaisepot onder mijn arm stop en de glazen in elkaar stapel.
'Gaat dat wel, Niels?' vraagt mijn moeder. Ik zeg dat het heel erg goed gaat lukken. Maar bij de vuilnisbak glijdt de mayonaisepot onder mijn arm vandaan tussen het afval. Ik drop de papieren zak erbij, en buk mij dan om de mayonaisepot weer op te vissen. Door het gewicht is dat rotding naar beneden gezakt, tussen de eierschillen. Ik moet diep reiken om hem te kunnen pakken, en dan zie ik onderin iets glanzen. Eigenlijk weet ik meteen al wat het is. Met de pot veeg ik het afval opzij zodat ik de ansichtkaart goed kan zien, met de plaatjes van het kasteel, de tank en de abdij. Met een takje dat ik van de grond pak, draai ik de kaart om. Ik herken direct het kriebelhandschrift van Bas.

Ik weet niet wat ik moet doen. Waarom heeft mijn moeder die kaart weggegooid? Ze koopt hem eerst, laat Bas hem volschrijven, belooft hem te gaan posten en gooit hem dan weg. Het kan niet per ongeluk zijn gebeurd, want de eierschillen zijn eerder weggegooid. Als het een vergissing was, zou de kaart daarbovenop moeten liggen. Op een ander moment zou ik trots geweest kunnen zijn op mijn intelligente conclusie.
Zou ik het durven vragen? Gewoon de kaart opvissen, voor mijn

moeder op tafel leggen en dan afwachten wat ze gaat zeggen?
Vanachter het kleine badkamerraampje hoor ik de douche stromen. Kan ik het aan Iris vertellen? Aan Iris die eindelijk zichzelf weer lijkt te worden, die staat te zingen onder de douche? Zo vals als een kraai, maar goed, ze zingt. Dat heb ik haar in tijden niet horen doen.
Ik zou mijn oma kunnen bellen, maar haar nummer staat niet in het geheugen van mijn mobiel, en ik weet het niet uit mijn hoofd.
Ik weet maar één oplossing. Of eigenlijk is het helemaal geen oplossing, meer een heel klein poginkje om de zooi wat minder erg te laten lijken.
Als ik op mijn kamer kom, zit Bas op mijn bed.
'Wat doe je hier?'
Het klinkt nogal onvriendelijk en mijn broertje kijkt verbaasd. 'Zitten. Muziek luisteren.'
'Ga dat even op je eigen bed doen.'
Hij kijkt een beetje schuw, maar klautert in het bovenste bed. Ik hoor de vage muziekrestanten die je overhoudt als je goedkope oortjes indoet. Zo geruisloos mogelijk vis ik mijn mobiel onder het bed vandaan. Ik heb een sms-bericht. Mijn hart begint (nog) harder te bonken als ik het nummer herken. Thirza!
Waar ben je...? Verveel me... Ziek?
Mijn handen trillen een beetje als ik begin aan een antwoord.
Paar dagen weg. Kom maandag weer terug.
Ik kijk op mijn horloge. Bijna zeven uur.
Zodra ik het verstuurd heb blijf ik wachten op antwoord. Thirza heeft mij dat sms'je onder schooltijd gestuurd. Ze zal zich wel afvragen waarom ik niet reageerde. Misschien denkt ze dat ik zo ernstig ziek ben dat ik niet kán reageren. Het is geen onaangename gedachte, Thirza die zich zorgen om mij maakt. Misschien had ik wat vager moeten reageren, of pas over een paar uur. Maar als ik zie dat ik bijna direct een berichtje van haar terugkrijg, ben ik toch blij dat ik meteen heb gereageerd.
Waar + met wie?

Ik wist niet dat ik zo snel die kleine toetsjes kon indrukken. Mijn vingers maken een vrolijk dansje. Net voor ik mijn antwoord kan versturen valt er een schaduw over mijn hand.
Vanuit het bovenste bed kijkt Bastiaan naar beneden, zijn haar hangt steil omlaag. 'Wat ben je aan het doen?'

HOOFDSTUK 24

Van schrik laat ik mijn mobiel vallen. Hij glijdt tussen de muur en het bed, wat mij eigenlijk wel goed uitkomt.

'Niks.'

Bas blijft rustig hangen. In een vorig leven zou mijn moeder gezegd hebben dat dat heel gevaarlijk is, dat je bloed zo naar je hersens stroomt en dat de druk dan te hoog wordt.

'Zit je te sms'en?'

'Nee.'

Ik spreek de waarheid. Ik zit namelijk niet, ik lig.

'Heb jij je telefoon mee?'

'Jij niet dan?'

Even verdwijnt het hoofd van mijn broertje. Dan zakt zijn hele lijf van het bed naar beneden. Hij gaat bij mij op het bed zitten. 'Ik weet het niet.'

'Hoezo weet je dat niet?'

Bastiaan zit ongeveer net zo als ik vanmiddag in de kerk zat, zijn kin op zijn knieën.

'Ik had hem in mijn tas gedaan, maar nu zie ik hem nergens meer.' Hij kijkt me geschrokken aan. 'Zou ik hem verloren zijn?'

Ik zeg niets. Ik herinner me dat mijn moeder Bas heeft geholpen met inpakken. En ik herinner me wat er in de afvalbak ligt.

'Heb je die kaart voor oma nog?'

'Nee, die heeft mama in haar tas gestopt, dan vergeet ze hem morgen niet. Wilde je er ook iets op schrijven?'

Natuurlijk zou ik 'ja' kunnen zeggen. Dan zou Bastiaan naar mijn moeder gaan en de kaart vragen.

'Welnee joh, het is toch jouw kaart voor oma?'

Bastiaan blijft voor zich uit kijken. 'Toch gek dat mijn mobiel weg is. Als ik een spelletje wil doen, mag ik die van jou dan?'

Soms valt het mij ineens op hoe klein hij nog is. Zijn gezicht is

nog echt een kindergezicht en zijn stem klinkt als die van een meisje.
'Nee,' zeg ik boos. 'Dat mag niet. En rot nu maar op.'
Alsof ik hem heb geslagen, zo snel verdwijnt hij weer naar het bovenste bed. Ik zou nu het sms'je naar Thirza kunnen versturen, maar ik laat mijn mobiel liggen waar hij ligt. Morgen, als mijn moeder broodjes gaat halen (en die ansichtkaart gaat posten, maar niet heus) zou ik kunnen gaan zoeken in haar kamer, of ze daar de mobiel van Bas heeft. Vraag mij niet wat ik bewijzen wil. Het heeft niets met wíllen te maken. Als je mij vraagt wat ik wíl, is het antwoord simpel. Ik wil hier best zijn, in dit huisje, maar dan een jaar geleden, toen mijn vader nog leefde en mijn moeder nog normaal was.
Ik wíl niets bewijzen, maar ik moet. Want anders is mijn moeder straks niet de enige die gek is.

Later, als Bas naar bed is (hij heeft mij aarzelend welterusten gezegd) hang ik in de woonkamer op de bank. Echt lekker ligt het niet, want onder mijn been voel ik de harde vorm van mijn mobiel. Na een groot glas appelsap is het legaal om naar het toilet te gaan. Daar, met de deur veilig op slot, durf ik pas het sms'je te versturen. Ik blijf nog even zitten om te wachten of Thirza mij direct antwoordt maar er komt geen reactie.
'Gaat het wel goed?' vraagt mijn moeder als ik de kamer weer inkom.
'Ja hoor.' (Een beetje je mondhoeken optrekken helpt altijd.) 'Hoezo?'
'Ik vroeg me af of je last van je darmen hebt.'
'Een beetje,' zeg ik. Dat geeft me een excuus om wat vaker dan normaal naar de wc te gaan.

HOOFDSTUK 25

De volgende ochtend word ik wakker doordat de deur van het huisje dichtslaat. In het schemerige licht zet ik mijn mobiel aan. Acht uur zevenentwintig. Geen nieuwe berichten.
Heel langzaam (waarom kraken vakantiebedden altijd zo?) ga ik op de rand van mijn bed zitten en sta vervolgens net zo geruisloos op. Bas heeft zijn ogen dicht en ademt rustig en regelmatig. Ik heb expres gisteravond de slaapkamerdeur wijd open laten staan. Geen gepiep.
Op de kleine overloop blijf ik even luisteren bij de kamerdeur van Iris. Niets te horen.
Zachtjes sluip ik naar de slaapkamer van mijn moeder.
Gelukkig dat dit een vakantiehuisje is. Weinig opbergruimte. Eerst kijk ik onder het bed. Er ligt nog niet eens stof. De kledingkast gaat stroef open. De kleren van mijn moeder hangen en liggen net zo netjes opgevouwen als thuis. Ik voel tussen de T-shirts en de broeken, kijk in de schoenen. Ik zoek naar meer dan alleen de mobiel van Bas, maar waarnaar precies weet ik niet. Onder in de kast staan twee kleine plastic mandjes, één met sokken en één met ondergoed. Bij het laatste mandje aarzel ik. Hoe wanhopig moet je zijn om tussen de onderbroeken van je moeder te gaan zoeken? Zo wanhopig ben ik dus.
De sporttas van mijn moeder staat boven op de kast. Hij ziet er leeg uit, half in elkaar gezakt. Als ik hem van de kast til, voelt het zwaarder dan ik had verwacht, er schuift iets over de bodem.
Ik aarzel.
Stel dat ik de telefoon van Bas vind. Wat bewijst dat? Dat mijn moeder hem bewust achterover heeft gedrukt, of dat ze het gewoon handiger vond om hem in haar eigen tas te bewaren?
Zonder dat ik het wil springen mijn gedachten nog een andere kant op. Stel je voor dat het helemaal niet de telefoon van Bas is,

maar iets anders. Mijn moeder leest altijd de krant, ze is laatst zelf nog begonnen over die vader die zijn kinderen vermoordde. Ze zei dat het verboden moest zijn om vuurwapens in je bezit te hebben, dat daar alleen maar ongelukken van komen.
Ik zet de tas op het bed en begin heel rustig de rits open te maken.
'Wat doe jij hier?'
Iris staat op de drempel van de kamer, met haar armen over elkaar tegen de deurpost geleund. Haar kleren zien eruit alsof ze erin heeft geslapen.
Ik kan gewoon voelen dat mijn wangen rood worden, dus draai ik mijn gezicht weer naar de tas. 'Er zit iets in.'
Ze blijft in precies dezelfde houding staan.
'Tjonge jonge, dát is nog eens groot nieuws.'
Ik besluit haar te negeren. Ik steek mijn arm door de halfgeopende rits en voel. Het is rechthoekig en ongeveer zo groot als een videoband. Iris kan mij dan wel belachelijk vinden, maar ze is inmiddels wel naast me komen staan. Als het mij moeite kost het voorwerp door de kleine opening te krijgen, is zij het die met een geïrriteerde zucht de rits verder opentrekt.
Het is een simpele kartonnen doos, beplakt met truttig bloemetjespapier dat op de hoeken is weggesleten. Als ik ermee schudt, klinkt het niet als een mobiel en zeker niet als iets wat nog zwaarder is.
Voor ik kan bedenken wat ik nu ga doen trekt Iris de doos uit mijn handen en maakt hem open.
Tegelijk gaat ze op het bed zitten en om de een of andere reden zet ik de tas op de grond en ga naast haar zitten.
Briefjes en foto's.
Het eerste wat ik herken is het handschrift van mijn vader.

Hou van je. Tot vanavond.

Het is geschreven op de gekleurde vierkante blaadjes die mijn moeder altijd voor de boodschappen gebruikt. Ik kan het bijna voor me zien, mijn vader die vroeg naar zijn werk moet en tijdens het klaarmaken van zijn ontbijt de keukenla opentrekt, een papiertje pakt en de pen die er altijd naast ligt. Hij heeft vast geglimlacht toen hij dat briefje schreef. Dezelfde lach die ik me ineens weer kan herinneren. Zo keek hij als hij een tekening van Bas bekeek, als hij Iris plagend aan haar haar trok, als ik scoorde met voetbal.

'Doe dicht,' zeg ik tegen Iris. 'Doe dicht en leg terug.'

HOOFDSTUK 26

'Sorry, hoor.'
Iris draait zich iets van me af, alsof ze mijn gedachten kan lezen en weet dat ik het liefst die hele boel uit haar handen zou trekken. Ze pakt het bovenste blaadje uit het doosje en legt het heel voorzichtig ondersteboven op het deksel.
Een foto.
Mijn hele lijf is in één keer bedekt met kippenvel. Het voelt rot, mijn huid trekt in een fractie van een seconde samen en zit nu rond mijn hele lijf te strak. De hand van Iris trilt, zodat de foto mee bibbert. Het maakt niet uit, ik weet wat erop staat.
Ik had een belangrijke voetbalwedstrijd. Door te winnen konden we de volgende week kampioen worden. Die allerlaatste wedstrijd was tegen een club waar we altijd met gemak van wonnen, dus dat was geen probleem. Maar de wedstrijd waarna deze foto werd gemaakt, was tegen onze grootste concurrent, die in de competitie vlak onder ons stond. We moesten van ze winnen, en dat deden we. 1-0. Als keeper had ik die belangrijke goal niet gemaakt, maar vlak voor het eindsignaal kregen we een penalty tegen. Onterecht, maar dat is niet zo belangrijk. Mijn vader stond achter mijn doel en gelukkig schreeuwde hij niet, zoals sommige ouders doen. Hij zei alleen maar heel rustig dat hij wist dat ik die bal zou kunnen stoppen.
En ik deed het. Direct daarna werd er afgefloten en mijn hele elftal duikelde over me heen om me te slaan, te stompen en al die andere dingen waarmee ze bedoelen dat ze je geweldig vinden. Iemand heeft een foto gemaakt van die berg benen en armen waar je nog net mijn hoofd onderuit ziet komen. Mijn vader staat erachter. Hij leunt met zijn armen op het metalen hek dat om het veld staat en grijnst. Trots.
Het langzame beest doet niet eens meer moeite om omhoog te

klimmen, hij draait gewoon rondjes in mijn buik.
Ik weet nog precies wanneer die foto is gemaakt. De zaterdag vóór mijn vader stierf.
En ook al is mijn lijf op de foto niet te zien, ik weet wat ik nooit vergeten zal, dat ik mijn favoriete zwarte broekje aanheb, dat ik per se de zaterdag erna weer wilde dragen.
Wild trek ik het doosje uit Iris' handen. Briefjes en foto's vliegen in het rond.
'Stommerd!' Iris slaat me, op mijn rug, maar het kan me niets schelen. Zo snel als ik kan veeg ik alles op een hoop en prop het terug. Het doosje is op een hoek een stukje ingescheurd. Iris slaat me nog een keer, tegen mijn arm. Ik wist niet dat zo'n mager kind zoveel kracht kon hebben.
Ze huilt, zie ik, haar ogen zijn zwarte vlekken.
'Rotzak! Blijf eraf! Bemoei je met je eigen zaken.'
Ik wil zeggen dat het mijn eigen zaken zijn, dat mijn vader mijn zaak is, en dat zijn dood ook mijn zaak is. Dat zou ik echt willen zeggen, maar het enige wat mijn lijf doet is terugslaan. Ik raak haar hard op haar schouder en ze valt achterover op het bed en begint me te schoppen met haar zware schoenen.
'Bemoei je er niet mee! BEMOEI JE ER NIET MEE!'
Bastiaan staat ineens achter me. Hij ziet spierwit.
Ik wil iets tegen hem zeggen, iets om hem gerust te stellen, maar ik heb geen idee hoe ik uit moet leggen wat ik zelf niet eens begrijp.
Iris springt van het bed. Ze geeft mij nog een stomp en Bastiaan een schouderduw.
'JULLIE MOETEN JE ER NIET MEE BEMOEIEN!'
Ze dendert de trap af, de buitendeur slaat met zo'n harde knal dicht, dat Bas zijn handen tegen zijn oren drukt.
Ik kijk door het slaapkamerraam en zie haar rennen, door het weitje achter het huis, naar de heuvels, het bos in. Pas als ze uit het zicht verdwenen is, draai ik me om, naar Bastiaan.
Hij ziet nog steeds wit, zijn pyjama slobbert om zijn magere lijf.

'Waarom deden jullie dat?'
Ik probeer een logische verklaring te geven, maar voor ik ook maar een beetje orde kan scheppen in de chaos in mijn hoofd komt de volgende vraag.
'Wat heb je daar?'
Bas wijst naar het doosje.

HOOFDSTUK 27

'Niets,' zeg ik snel, terwijl ik het doosje teruggooi in de tas. De tas zet ik op de kast en ik probeer het dekbed net zo recht te trekken als het lag. 'Iris en ik hadden gewoon even ruzie.'
'Waarover dan?'
Ik loop naar de andere kant van het bed, trek ook daar minstens tien keer aan het beddengoed, mijn ogen strak op de gele bloemetjesstof.
'Gewoon, over iets.'
'Maar jullie deden elkaar pijn!'
Pijn? Moet ik me druk maken over buitenkantpijn? Over blauwe plekken die na een paar dagen weer weg zijn?
Bas gaat aan de andere kant van het dekbed staan trekken. Hij begrijpt dat het beter is dat onze moeder van niets weet, dat we haar moeten beschermen tegen dit soort dingen.
'Laten we de tafel gaan dekken,' zeg ik. 'Mama zal zo wel komen.'
Terwijl Bas de borden op tafel zet, bekijk ik hem onopvallend. Ik ben jaloers op hem, besef ik.
Jaloers omdat hij niet weet hoe groot mijn binnenpijn is, omdat hij niet weet hoe het is te leven met de gedachte dat je verantwoordelijk bent voor de pijn van anderen.
De auto rijdt het grindpad op. Mijn moeder komt binnen, houdt vrolijk een papieren zak omhoog. 'Verse broodjes! Fijn dat jullie de tafel hebben gedekt.'
Ze loopt de gang in, roept naar boven. 'Iris! Broodjes!'
Bas kijkt me aan.
Ik doe mijn best ontspannen te klinken. 'Iris is even gaan wandelen.'
Geen wonder dat mijn moeder verbaasd kijkt. Iris en vroeg op is niet een heel logische combinatie.
'Denk je dat ze snel terugkomt?'

'Geen idee.'
Mijn moeder zucht, voelt aan de papieren zak.
'Dan gaan wij alvast maar eten, voordat de broodjes koud zijn. Wel een beetje ongezellig.'
Vergeleken met wat er net gebeurd is, is alles gezellig, zelfs met een zwijgzaam broertje en een zenuwachtige moeder aan tafel zitten, terwijl je zus met haar kwaaie kop buiten in het bos zwerft.
Bas veegt de kruimels van de tafel. 'Mam,' zegt hij ineens, 'hebt u mijn mobiel meegenomen?'
'Nee.'
'Waarom niet?'
'Die heb je hier toch niet nodig?'
Bas haalt zijn schouders op. 'Ik wilde oma bellen en zeggen dat ze goed op de brievenbus moet letten.'
Mijn moeder bloost niet eens. 'Als je niet belt, is het een verrassing. Dat is nog veel leuker.'
Mijn broertje kan soms verdraaid vasthoudend zijn. 'En morgen is Patrick jarig, dan wil ik hem bellen.'
Stuur hem een kaart, wil ik zeggen. Dan kan mama hem voor je posten.
'Mag ik uw mobiel dan gebruiken?' vraagt Bas. 'Alleen maar om te feliciteren.'
Ze geeft geen antwoord, maar kijkt mij aan. 'Niels, heb jíj eigenlijk je mobiel bij je?'
Bastiaan is te jong, te naïef en te eerlijk. Voor ik een slim antwoord kan bedenken doet hij zijn mond al open. 'Ja, maar die mag ik vast niet gebruiken.'
Ik zou hem onder tafel tegen zijn schenen willen schoppen. Niet dat het nu nog uitmaakt. Mijn moeder wrijft weer in haar handen.
'Heb je hem gebruikt, de laatste dagen?'
Bas kijkt van de een naar de ander. Ik hoop dat hij zijn mond houdt tot ik iets heb bedacht.
Mijn moeder wrijft weer in haar handen. Het geluid bezorgt me buikpijn. 'Heb je aan iemand verteld dat we hier zijn?'

HOOFDSTUK 28

'Ja,' zeg ik, gewoon om haar te testen. 'Ik heb een paar sms'jes verstuurd. Dat mag toch zeker wel?'
Mijn moeder zegt niets, maar wrijft langs haar voorhoofd.
'Heb je verteld dat we hier zijn, in dit huisje?'
'Hoezo, is dat geheim dan?'
Bas draait als bij een tafeltenniswedstrijd zijn hoofd van de een naar de ander. Hij kijkt net zoals toen ik hem vertelde dat het belachelijk is dat hij een fietshelm op moet. Alleen heb ik nu niets tegen hem gezegd. Nu begint hij zelf na te denken. Ik zie het aan zijn ogen en ik weet wat hij gaat vragen.
'Mam?'
Mijn moeder draait met moeite haar hoofd in zijn richting.
'Wat is er?'
Bas doet drie keer zijn mond open en weer dicht voor hij verder gaat.
'Waarom mag niemand weten dat we hier zijn?'
Ik ga geïnteresseerd rechtop zitten. Het moet voor mijn moeder goed duidelijk zijn dat ik ook antwoord wil.
Het lijkt alsof mijn moeder kleiner wordt, en tien jaar ouder. Er is niet veel meer over van de zorgeloze vrolijkheid die ze gisteren liet zien.
'Ik doe het voor jullie.'
Als we fruit krijgen, of melk, of op tijd naar bed moeten, zeggen ouders altijd dat het voor je eigen bestwil is. Maar nu klinkt het toch anders. Heel erg moe.
'Ik moet jullie beschermen, dat is mijn plicht.'
Bas knikt aarzelend. 'Net als met die fietshelmen, bedoelt u?'
Even glimlacht ze. 'Ja, ik moet jullie fietshelm zijn, Bas.'
Fietshelm, brandmelder, schoonmaakdoekjes, anti-bacteriespray.
Mijn moeder buigt zich over de tafel, en legt haar hand op die

van Bas. 'Dat begrijp je toch wel? Ik heb één keer een hele grote fout gemaakt en daardoor is papa dood. Zoiets mag nooit meer gebeuren.'
Het was uw fout niet, wil ik zeggen. Het was mijn schuld, ís mijn schuld en het zal altijd alleen maar mijn schuld blijven. Het snelle beest schiet op en neer in mijn slokdarm, bijt me in de binnenkant van mijn lijf, krast met zijn nagels mijn gevoel aan flarden.
'U bent gek!'
Ik ben als een fles frisdrank die al maanden geschud is en waar nu eindelijk de dop af gaat. Geen controle.
'U bent hartstikke gestoord met uw stomme plannetjes. Denkt u echt dat dit helpt? Denkt u echt dat papa weer levend wordt als u zo ontzettend stom doet? Wilt u dat wij ook gek worden? Gestoorde kinderen met fietshelmpjes en schoonmaakdoekjes? Denkt u dat wij dit leuk vinden?'
De tweede ruzie waarvan Bas deze ochtend getuige is. Ik vind het zielig voor hem, maar niets kan me meer tegenhouden.
'Wat bent u eigenlijk van plan? Hier voor altijd blijven zitten? Tot u grijs en bejaard bent? Denkt u echt dat wij dat gewoon maar goed zouden vinden? Of wilde u ons vermoorden? Lekker makkelijk, bent u overal vanaf. U hebt tenslotte ervaring.'
Mijn moeder heeft haar ogen dicht. Zweet druppelt langs haar spierwitte voorhoofd. Bas huilt, zonder geluid. Ik ben klaar, geloof ik. Weet niets meer te zeggen. Ik weet dat ik te ver ben gegaan, maar het gekke is dat ik er helemaal niets bij voel.
Mijn moeder doet haar ogen open en kijkt me aan.

HOOFDSTUK 29

'Je hebt gelijk, Niels. Het is allemaal mijn schuld. Maar juist daarom moet ik dit doen. Ik moet jullie beschermen. De juf van Bas wil dat ik jullie naar Jeugdzorg stuur. Weet je wat er dan gebeuren kan? Misschien moeten jullie naar een pleeggezin, dan zie ik jullie nooit meer. Dan kan ik niet meer voor jullie zorgen.'
In mijn hoofd zit een redelijk verstandig antwoord. Bij Jeugdzorg zijn ze echt niet gek. Het moet wel heel erg zijn, als je bij je moeder wordt weggehaald. Zoiets gebeurt alleen als het echt beter voor je is. Dat is toch wat mijn moeder wil, het beste voor ons? Maar zeg nou zelf, natuurlijk kan je dat bedenken. Maar als je het wilt uitleggen, klinkt het toch anders, want je moeder is en blijft wel je moeder.

En hoewel ik op dit moment echt heel erg boos op haar ben, weet ik zeker dat ik toch van haar houd.

En ik snap niet waarom ik nu moet huilen.

Mijn moeder komt naast me zitten, slaat haar arm om me heen en trekt me op schoot. Ik ben bijna dertien en zit bij mijn moeder op schoot en het voelt heel, heel goed.
Ik denk dat mijn moeder ook huilt, maar het kunnen ook mijn eigen snikken en tranen zijn die ik hoor en voel.
Het meest bijzondere is dat het langzame beest niet langer mijn vijand lijkt te zijn. Hij duwt dat verrotte ellendige snelle beest naar buiten en ik kan hem vasthouden, mijn handen om zijn nek. Dat rotbeest is niet langer de baas. Ik heb het voor het zeggen.
Het duurt nog even voor ik praten kan, maar met ieder woord gaat het beter.
'Het is niet uw schuld dat papa dood is.'

Mijn moeder haalt diep adem, haar stem komt ergens achter mijn oor vandaan. 'Dat weet ik, Niels. Mijn verstand weet het in elk geval. De politie heeft dat ook gezegd, en heel veel andere mensen. Maar het voelt nog niet zo. Wie zet er dan ook een wasmand boven aan de trap?'
Het zou makkelijk zijn nu te stoppen. Haar te troosten en het daarbij te laten.
Bas zet voor ons allebei een glaasje water op tafel. Zijn handen trillen en hij morst op het tafelkleed, maar het is wel lief. Daarna gaat hij weer zitten. Hij vouwt zijn handen en doet zijn ogen dicht. Mijn kop is een beetje duf en ik snap het eerst niet helemaal. Sinds wanneer bidt hij voor een glaasje water? Maar dan begrijp ik het.
Bastiaan, dat kleine broertje van mij, zit gewoon te bidden voor mij en mijn moeder. Zo simpel.
Het beest in mijn handen lijkt zich te bewegen en daarom praat ik verder.
'Het is mijn schuld.'
Er gaat een schok door mijn moeders lichaam. Ik praat snel door.
'Weet u dan niet meer waaróm u die wasmand boven aan de trap zette?'
Ik draai mijn gezicht naar het hare. Ze heeft inderdaad minstens net zo lang en hard gehuild als ik. Ze schudt haar hoofd.
'Ik had een belangrijke voetbalwedstrijd, maar was vergeten mijn sportkleren in de was te gooien. En ik wilde per se mijn zwarte voetbalbroekje aan, dat ik de vorige wedstrijd ook aanhad. U zei eerst dat ik dan maar een ander aan moest doen en dat ik er zelf om moest denken mijn kleren op tijd in de was te doen.'
Mijn moeder doet haar ogen dicht en knikt. Haar stem is zacht. 'Uiteindelijk besloot ik toch dat ik de volgende ochtend vroeg die was zou draaien. Om het niet te vergeten zette ik de wasmand op de overloop.'
'Dus is het mijn schuld.'

Ze slaat haar armen zo stijf om mij heen dat ik bijna geen adem meer kan halen.
'Jochie toch,' hoor ik haar fluisteren. Gisteren zou ik nog boos zijn geworden als ze zo tegen me praatte, maar nu voelt het gewoon goed.
Ze veegt mijn tranen van mijn wangen en geeft me een zoen op mijn voorhoofd. 'Ik denk dat niemand schuld heeft, Niels. Samenloop van omstandigheden, zei de politie. Ergens in dat hele verhaal hebben we misschien allebei een rolletje gespeeld. Maar het was nooit onze bedoeling dat het zo zou gaan. Vergeet het.'

HOOFDSTUK 30

Vergeten? Vergeven en vergeten, het wordt zo makkelijk gezegd als zout en peper, links en rechts, patat en mayonaise. Maar in het echt is het iets heel anders.

Nu ik hier zo zit, met mijn moeders armen om me heen, met het snelle beest dat niet veel meer in te brengen heeft, durf ik te zeggen wat er al zo lang in mijn hoofd zit. Het klinkt nogal plechtig, maar ik weet geen betere woorden.

'Ook al is het maar een stukje mijn schuld, wilt u me dat stukje vergeven?'

Ik dacht dat ze me al stevig vasthad, maar nu trekt ze me nog dichter tegen zich aan. 'Ja Niels, dat vergeef ik je.'

En ik ben blij, zo ontzettend blij, dat ze begrijpt hoe belangrijk het voor mij is die woorden te horen.

'Je had erover moeten praten,' zegt ze. 'Je hebt de hele tijd met een enorm schuldgevoel gelopen en niemand die het wist.'

Er komen weer tranen in haar ogen. 'Dáár zou ik me schuldig om moeten voelen, Niels. Dat ik zo druk bezig was met dingen die ik belangrijk vond, dat ik niet zag hoe moeilijk jij het had.' Ze knijpt haar ogen even stijf dicht. 'Wil je me dat vergeven? En jij ook, Bas?'

We knikken allebei. Mijn moeder steekt één arm uit naar Bas die direct van zijn stoel springt en naar ons toe komt. Het snelle beest lost op in het niets.

Ik weet niet of er seconden of minuten voorbij zijn gegaan, als Bas en ik elkaar tegelijk aankijken. 'Iris!'

'Ja,' zegt mijn moeder. 'Waar blijft Iris toch? Het is niet echt iets voor haar om zo lang te wandelen.'

Bas en ik zwijgen allebei, wat natuurlijk nogal vreemd is. Een nonchalant 'dat is inderdaad niets voor haar' of 'misschien is ze

bloemetjes aan het plukken' zou logischer zijn geweest.
'Is er iets gebeurd?' vraagt mijn moeder. Ze wrijft niet in haar handen, maar kijkt wel ongerust.
Ik sta op, en neem voor de vorm een slokje van het water dat Bas zo zorgzaam voor ons heeft neergezet. 'Ze was boos.'
'Niet echt boos,' zegt Bas. 'Ik denk dat ze eigenlijk verdrietig was.'
Wat het precies is met dat broertje van mij weet ik niet, maar soms is hij best wel slim. Waarom heb ik nooit gezien dat al dat gedoe van Iris, haar boosheid en haar kattigheid en haar gepest, misschien met verdriet te maken heeft?
Als ik door het keukenraam kijk, zie ik het bos waar ze naartoe liep. Vorig jaar ben ik met mijn vader dat bos ingelopen. Iris was er ook bij. Bas niet. Er was daar iets gevaarlijks.
'We moeten haar gaan zoeken.'
Ik ben al buiten, in het T-shirt en de korte broek waarin ik geslapen heb. Het gras is nog nat van de dauw en sliert op een vervelende manier tussen mijn tenen. Bas heeft zijn laarzen aangetrokken, zie ik.
Zonder iets te zeggen rennen we door het weilandje. Tussen de bomen plakken dennennaalden aan mijn natte voeten. Al te scherpe rotsen probeer ik te ontwijken.
Voor me zie ik de langwerpige sporen op de helling. Omgewoelde aarde waar Iris haar zware schoenen heeft neergezet. Ergens een grotere plek, misschien is ze daar gevallen. Ademhalen begint pijn te doen, ik probeer uit te rekenen hoe lang ze al weg is. Te lang, veel te lang is ze op weg naar die ene plek. Vraag me niet waarom ik denk wat ik denk. Het is niet alleen vanwege vanmorgen. Het is juist om wat Bas zei, omdat ik nu pas begrijp dat zij minstens zoveel en zulke sterke beesten had als ik. En ik heb het nooit geweten.
Het hek komt in zicht.

HOOFDSTUK 31

Ook zonder de sporen van Iris zou ik weten dat we te veel naar rechts zijn gelopen. De opening is meer naar links, voorbij het rotsblok in de vorm van een dobbelsteen.

Waarom er een hek staat is logisch, waarom er een keurige doorgang in zit konden we vorig jaar niet bedenken.

Ik was met Iris en mijn vader naar boven gelopen. Toen het bos dunner werd, kon je het hek zien.

'Even wachten,' zei mijn vader, terwijl hij op zijn horloge keek. 'Anderhalve minuut.'

Natuurlijk wilden wij weten waarop we moesten wachten, maar mijn vader stak alleen maar zijn wijsvinger omhoog, zodat wij extra scherp luisterden.

In de verte klonk er een gerommel. Ik werd een beetje zenuwachtig. Onweer? Eerlijk gezegd ben ik daar bang voor. Maar het geluid hield aan en werd steeds sterker.

'Een trein!' zei Iris en ik baalde dat zij dat als eerste doorhad. Gelukkig dat zij ook degene was die het meest schrok toen er een enorm harde, hoge gil door het bos klonk.

Vlak daarna (Iris had net mijn vaders hand losgelaten) werd het geluid van de trein ineens gedempt. Ik wilde vragen hoe dat kwam, maar mijn vader stak weer zijn vinger op. Een paar seconden later hoorden we het gerommel ineens weer, maar zachter, verder weg.

Mijn vader liep verder naar boven en wij volgden hem. Toen zag ik het hek voor het eerst. Het is twee meter hoog, gemaakt van gaas dat tussen groene palen is gespannen. Het staat vlak bij de rand van een soort ravijn. Als je je gezicht tegen het gaas drukt en naar beneden kijkt, kun je de afgrond zien. Glad gehakte rotswanden die bijna steil naar beneden lopen en grauw grind. Zelfs

als ik de trein niet had gehoord, had ik begrepen dat er een spoorlijn loopt.
Wie weleens in een land als Luxemburg is geweest en de heuvels daar heeft gezien, begrijpt waarom ze zoveel treintunnels hebben. Dwars door de berg is een stuk sneller dan eromheen.
Wij dachten dat het hek er stond voor de veiligheid, maar Iris, nieuwsgierig als altijd, liep er een stuk langs en vond de doorgang.
Niet een gat in het gaas, maar een heel nette onderbreking, tussen twee palen die dicht bij elkaar waren gezet, zodat het een soort deur was geworden.
We liepen erdoorheen, mijn vader hield ons bij de schouders vast.
'Doe dit nooit als ik er niet bij ben,' zei hij.
Nu is mijn vader er niet meer, dus zouden we hier ook niet meer moeten komen.
Iris denkt daar blijkbaar anders over.

Ze zit op de rand, haar benen eroverheen. Mijn moeder is slim, ze roept niet en legt zelfs haar hand over Bas zijn mond. Met grote ogen kijkt ze mij aan, alsof ik hier een oplossing voor moet vinden. Het zou waarschijnlijk het beste zijn heel rustig Iris' naam te zeggen. Maar voor ik een woord uit kan brengen, moet ik eerst mijn keel schrapen. Ik durf werkelijk niets te doen waar Iris van zou kunnen schrikken.
Bas pakt heel rustig de pols van mijn moeder vast. Hij haalt haar hand van zijn mond. Dan raapt hij een steentje van de grond en tikt er zachtjes mee tegen een metalen staander van het hek. Het geeft een helder geluid, duidelijk iets wat niet door een dier wordt gemaakt.
Iris reageert niet.
Bas tikt harder, steeds drie keer achter elkaar. Iris buigt een heel klein stukje voorover, kijkt naar beneden, naar het spoor. Ik pak het gaas van het hek tussen mijn vingers en trek eraan. Het maakt een zwiepend, metalig geluid.

Nu kijkt Iris om.
Eerst recht achter zich, dan volgt ze met haar ogen het hek tot ze ons ziet.
Ze kijkt weer voor zich, trekt haar hoofd tussen haar schouders.
'Rot op.'
'Dat is goed,' zegt mijn moeder heel rustig. 'Als jij meegaat.'
'Nooit.'
Mijn moeder doet een paar stappen in de richting van Iris. 'Wil je hier de hele dag blijven zitten?'
Iris zegt iets, maar het klinkt zacht en is voor ons niet te verstaan.
Mijn moeder doet nog een paar stappen in haar richting. 'Wat zeg je?'
Bas en ik lopen langzaam met mijn moeder mee.
'Wees maar niet bang,' zegt Iris. 'Ik ben weg voor jullie het in de gaten hebben.'

HOOFDSTUK 32

'Hoe bedoel je?' zegt mijn moeder. Ze doet haar best om rustig te klinken, maar iedereen kan zien en horen dat ze dat helemaal niet is.

'Net zoals ik het zeg.'

Bas klinkt gewoon bang. 'Waar ga je dan heen?'

Nu kijkt Iris om. Ze steekt haar wijsvinger op en draait haar arm in het rond. Dan laat ze haar hand een boog maken, naar beneden. Ze wijst uitdagend het ravijn in, maar haar hand trilt.

Bastiaan is oprecht verbaasd. 'Naar beneden? Is daar dan een trap?'

'Trap?' Iris lacht spottend. 'Trappen zijn pas echt gevaarlijk, dat weet je toch?'

Mijn moeder wrijft in haar handen en ik geef haar groot gelijk.

Bas kijkt volkomen hulpeloos van mij naar mijn moeder en weer terug. Ik loop langs het hek, naar de doorgang. Rustig en nonchalant, als tijdens een zondagmiddagwandeling. Intussen praat ik tegen Iris.

'Zitten daar ook van die rotvliegen? In de zon is het meestal erger dan in de schaduw. Ik was helemaal vergeten dat het hier stikt van die beesten.'

Het slaat nergens op, maar in elk geval heb ik de aandacht van Iris. Ze kijkt behoorlijk minachtend toe hoe ik een stukje bij haar vandaan loop, aan haar kant van het hek. Ze moet opzijkijken, weg van de diepte. De zon weerkaatst op de punten van haar spikeband.

Ik ga zitten, mijn rug tegen het gaas.

'Dat je deze plek nog wist. Ik was het allang vergeten.'

Ze kijkt inmiddels anders, wantrouwend. Ze vraagt zich vast af waar ik heen wil. Eerlijk gezegd heb ik daar zelf ook geen idee van.

'We zijn hier toch maar één keer geweest.'
Ik raak haar aandacht kwijt. Haar blik dwaalt af, opzij, naar beneden.
'Papa zei dat we hier niet alleen naartoe mochten.'
Nu heb ik haar aandacht weer, en op een gekke manier ook die van mijzelf. Ik heb geen idee hoe lang het geleden is dat ik met iemand over hem heb gepraat. Het voelt onwennig, er bibbert iets in mijn keel. Het is het langzame beest, maar het voelt niet om bang van te worden.
'Hij zei dat dat gevaarlijk was.'
Iris draait met een ruk haar hoofd opzij, naar links, weg van mij. Mijn moeder en Bas zijn intussen ook het hek door gelopen, maar ze blijven achter Iris staan. Ze lijkt hun totaal vergeten te zijn, ze kijkt weer vóór zich, en praat heel zacht. Ik kan het amper horen.
'Daarom ben ik hier juist.'
Ik schuif op mijn billen een stukje naar voren. 'Omdat het gevaarlijk is?'
Ze haalt haar schouders op. 'Het leek mij het beste.'
'Waarom?'
Ze pakt een steentje, smijt het naar beneden.
Mijn moeder heeft haar handen op de schouders van Bas gelegd. Ze staan doodstil, als toeschouwers bij een bizar toneelstuk.
Iris pakt weer een steentje. Ik probeer niet te letten op de tijd die er zit tussen het gooien en de korte tik van het neerkomen.
'Waarom?' Ik vraag het nog een keer.
Ze zegt niets, ze heeft haar hoofd gebogen. Ik schuif nog een stukje in haar richting.
Ze huilt.
Ik weet niet wat ik doen moet, dus stel ik mijn vraag voor de derde keer. 'Waarom is dit het beste?'
Met de bovenkant van haar hand veegt ze langs haar neus. De zwarte make-up loopt nog verder uit.
Ze fluistert en snikt. Ik kan haar bijna niet verstaan. Ik begrijp haar alleen maar, omdat het me zo bekend voorkomt.

HOOFDSTUK 33

'Het is mijn schuld,' zegt Iris.
Ik schuif nog iets dichterbij, ik kan haar bijna aanraken. Mijn moeder staat gespannen te luisteren en ik begrijp dat ze niet heeft verstaan wat Iris zei. Ik weet niet precies wat belangrijker is, dat Iris praat of dat mijn moeder verstaat wat er wordt gezegd.
'Waarom denk je dat het jouw schuld is?'
Boos kijkt Iris me aan. 'Dat denk ik niet, ik weet het zeker.'
'Waarom dan?'
Weer verdwijnt er een steentje in de diepte. 'Omdat dat zo is!'
Ik probeer niet te zuchten. Dit soort gesprekken voer ik zelf ook, met mijn moeder. Je hebt geen zin om dingen uit te leggen, maar tegelijk toch wel. Nooit geweten dat het zo lastig is om ernaar te moeten luisteren.
'En waarom is het dan zo?'
Haar vingers zijn vuil van het zoeken naar de steentjes. Er komen smerige vegen op haar wangen.
'Die stomme rotwasmand.'
Het doet pijn. In mijn hele lijf. Die rotwasmand stond er voor mij. Maar ik wil me nu niet af laten leiden.
'Wat is er dan met die wasmand?'
Bas huilt, zie ik. In de verte hoor ik een vreemd gezoem, misschien een nieuwe zwerm vliegen.
Ze pakt een rotsblok ter grootte van een appel. Ze gooit het van de ene hand over in de andere hand. Het gezoem wordt luider. Iris zwaait haar arm naar achteren, en mikt op een paal langs de spoorbaan. Als het gezoem nog luider wordt en zij haar arm naar voren laat schieten, klinkt er een fluitende gil.
We schrikken alle vier. Maar Iris is de enige die op de rand zit en Iris is de enige die net een gooibeweging maakt.
Zo zit ze nog naast me, zo verdwijnt ze over de rand.

Op het laatste moment draait ze zich nog om, haar gezicht naar mij toe, haar handen grijpen in de rotsgrond waar ze zojuist nog steentjes zocht. Ik schiet naar voren, maar ik ben te laat.

Mijn moeder gilt, of misschien ben ik het zelf wel. Ik wil niet, helemaal niet, maar toch buig ik voorover en kijk naar beneden. Een stuk onder de rand steekt een boomwortel uit de rotsen. Hij lijkt dood, maar Iris heeft hem vast kunnen grijpen. Haar benen zwaaien wild heen en weer tot ze een klein beetje steun vindt op een stukje rots dat uitsteekt. Haar gezicht is vuil, er zitten schrammen op haar voorhoofd en bloed loopt uit haar neus.
'Help,' zegt ze en ik zie het meer dan ik het hoor, want weer fluit die trein. Het gezoem is geratel geworden dat ineens verstomt.
Ik weet waarom.
De trein is de tunnel in, over een aantal seconden zal hij tevoorschijn komen en onder Iris door razen. Dat geeft een enorme luchtstroom.
Ik buig verder voorover, mijn bovenlijf over de rand. Ik voel handen die mijn benen grijpen, ik hoor mijn moeder hijgen. 'Vasthouden, Bas. Laat hem niet los.'
Ik raak de vingertoppen van Iris' vrije hand, maar kan ze niet beetpakken. Ik zie haar lijkbleke gezicht, haar vuile nek met strakgespannen spieren.
'Je spikeband,' zeg ik en gelukkig begrijpt ze me meteen.
Haar vingers vinden de gesp, weten hem los te krijgen. Tellen doe ik niet, maar het kan nooit lang duren voor de trein tevoorschijn komt.
Iris zwaait de spikeband in de richting van mijn uitgestoken hand. De tweede keer kan ik hem grijpen.
'Vasthouden,' sis ik. Haar hand is wit om het zwarte leer. De spikes steken tussen haar vingers door en geven extra houvast.
'Ik heb de wasmand verschoven.' Ze kijkt me strak aan. 'Ik vond dat hij in de weg stond toen ik van de zoldertrap kwam en daarom heb ik hem voor de trap naar beneden gezet.'

'Hou je kop,' zeg ik, terwijl ik naar achteren schuif. Gelukkig weegt ze bijna niets, die zus van mij. Mijn moeder en Bas trekken mee.

Dan komt met een enorm lawaai de trein uit de tunnel. Een hete luchtstroom slaat in mijn gezicht en ik doe mijn ogen dicht. De druk op de spikeband vermindert.

In een paar seconden is de trein voorbij. Ik houd mijn ogen dicht en huil.

HOOFDSTUK 34

'Niels!'
Het klinkt hees. Als ik mijn ogen opendoe, zie ik het gezicht van Iris vlak onder mij. Ze heeft één hand op de rand. 'Help me alsjeblieft.'
Het is mijn moeder die haar hand pakt, haar samen met mij omhoogtrekt. Half slepend lopen we met haar naar het hek.
Iris huilt. 'Ik wilde niet dat papa doodging.'
Je wilde het niet, denk ik, maar het gebeurde wel. Als jij die wasmand niet had verschoven, was er helemaal niets aan de hand geweest.
Mijn moeder slaat haar armen om haar heen. 'Dat weet ik wel, Iris.'
'Maar u dacht dat het uw schuld was en daarom ging u raar doen en daar hadden Bas en Niels ook weer last van. Alles is mijn schuld. Alles!'
Ik heb nooit geweten dat tranen een smerige, bebloede wang alleen maar viezer maken. Deze Iris lijkt helemaal niet meer op de zus die uren de badkamer bezet houdt voor ze de deur uit durft. Haar stem klinkt rauw.
'Ik durfde het niet te vertellen.'
Ik heb er ook nooit over gepraat. Ik hoopte dat niemand zich zou herinneren dat ik mede-schuldig ben.
De handen van mijn moeder trillen, als ze de tranen van Iris' wangen veegt. Het wordt er echt niet schoner van. 'Het maakt niet uit wiens schuld het was. Het is belangrijker wat we nu gaan doen. We moeten praten met elkaar en met mensen die ons kunnen helpen.'
Het klinkt makkelijk, vind ik. Ben ik het daar wel mee eens? Iedereen heeft een rottijd achter de rug. Ik dacht dat het mijn schuld was, of in elk geval alleen mijn schuld. Mijn moeder dacht

dat ook. Allemaal schuldig. Kunnen we net doen alsof het er allemaal niet toe doet? Kunnen we zomaar opnieuw beginnen?
Mijn hand doet pijn. Toen ik Iris omhoogtrok, heeft een van de spikes een gat in mijn hand gedrukt. Bloed en vuil. Het doet pijn, terwijl het maar een ondiep wondje is.
'Sorry,' hoor ik Iris zeggen.
Dat typische Iris-woord. Elke gek kan horen dat ze het altijd alleen maar zegt om ervan af te zijn.
Dit keer klinkt het anders. Helemaal niet hooghartig. Het klinkt zacht en beverig, alsof het haar moeite kost, maar ze het toch zeggen wil.
Mijn hand steekt een beetje, op de maat van het kloppen van mijn hart.
Ik loop naar Iris toe, en trek Bas aan zijn schouder mee.
Als vanzelf staan we met ons vieren, de armen om elkaar heen. Er is geen mooie zonsondergang, alleen maar een zwerm vliegen.
Het is goed.
In de verte fluit de trein voor de volgende tunnel.